Julien Venesson

Gluten

Comment le blé moderne nous intoxique

DU MÊME AUTEUR

L'*assiette de la force* avec Christophe Bonnefont, Thierry Souccar Éditions, 2012.
N*utrition de la force*, Thierry Souccar Éditions, 2011.

Conception graphique et réalisation : IGS-CP (16)
Imprimé par Qualibris/Imprimerie Quercy à Mercuès (France) - N° 30889/
Illustrations : © Elise Gilles
Dépôt légal : 2e trimestre 2013
ISBN 978-2-36549-043-6

www.thierrysouccar.com

Merci à Thierry Souccar
pour son soutien
son expérience
et sa sympathie.

Merci à Elvire Sieprawski
et son équipe
pour son professionnalisme
et ses bons conseils

Aux personnes chères à mon cœur

Sommaire

Troisième partie :
Comment conserver ou retrouver sa santé

Introduction

En lisant *Comment le blé nous intoxique*? sur la couverture de ce livre, vous pourriez être tenté de vous dire : « Encore un titre à sensation, des balivernes ou du charlatanisme. » C'est ce que j'aurais également pensé. Mais aussi surprenant que cela puisse paraître, vous allez voir qu'il n'en est rien. Ce livre se veut dans la droite ligne de mon travail habituel : scientifique, rigoureux et au service de la santé. Il s'appuie sur un grand nombre de références scientifiques et médicales, des travaux menés par des chercheurs à travers le monde entier et publiés dans des périodiques médicaux reconnus. En enquêtant, je suis allé de surprise en surprise, à un point qui dépasse l'entendement. Qui eût cru que certaines céréales, et en particulier le blé, avaient une face cachée aussi sombre ? Qui eût cru qu'un aliment consommé aussi couramment que le blé était plus proche d'un OGM expérimental que d'une plante sauvage ?

L'histoire de ce livre démarre il y a presque dix ans. Ma mère souffrait du « côlon irritable » ou « syndrome de l'intestin irritable ». Après chaque repas son ventre la torturait de douleurs et tous les soirs des spasmes étaient visibles sur son abdomen. La médecine était formelle : le stress. C'était lui le responsable de ce mystérieux syndrome ! Et ma mère de reconnaître : « C'*est vrai qu'à chaque fois que je suis stressée, j'ai encore plus mal.* » Mais alors, pourquoi les symptômes ne disparaissaient-ils pas lors de longues périodes de calme ? Pourquoi aucun traitement médicamenteux (psychiatrique ou non) destiné à lutter contre le stress n'est efficace dans cette maladie qui toucherait environ 20 % des Français ? J'allais finir par trouver la réponse.

En désespoir de cause et suite à une discussion avec une amie, ma mère se plonge dans la lecture d'un livre polémique : L'*Alimentation ou la troisième médecine*, écrit par le Dr Jean Seignalet, médecin immunologue décédé en juillet 2003. Ce livre est une curiosité : d'après l'auteur, certaines protéines de l'alimentation moderne seraient inadaptées à notre patrimoine génétique, perturberaient notre intestin et engendreraient alors des maladies comme la polyarthrite rhumatoïde, la spondylarthrite ankylosante, le lupus, le syndrome de Gougerot-Sjögren, la maladie de Basedow, la fibromyalgie, la spasmophilie, la fatigue chronique, la schizophrénie, l'acné, l'eczéma et même le cancer. N'était-ce pas un peu exagéré ? Ma mère, pharmacienne et très ouverte d'esprit, décidait néanmoins de suivre les principes de ce régime, « *pour essayer* ». Au bout de quelques semaines, son état s'était grandement amélioré, mais il m'a fallu encore quelques années pour avoir l'explication à la guérison complète de ma mère. Face à un tel changement, je fus tenté de penser tout d'abord à un magnifique effet placebo. Mais un nouvel élément allait être déterminant : depuis vingt ans, ma mère souffrait d'une double arthrose de la hanche et d'une arthrose du dos avec sciatique (diagnostic médical confirmé par radiographies) qui n'évoluaient pas favorablement. On lui prédisait des difficultés de plus en plus grandes pour marcher. Pourtant, après quelques années de cette nouvelle alimentation et un contrôle radiologique de routine, tout le monde était formel : les deux hanches étaient comme neuves, l'arthrose avait disparu. J'aurais pu rapporter ce miracle auprès du Vatican, mais je compris plus tard au contact d'autres personnes malades que tout ceci n'avait rien à voir avec l'effet placebo. En fait *ce miracle* a une explication parfaitement scientifique, parfaitement rationnelle. Mais personne ne le sait, personne n'en parle. Au milieu des symboles, des institutions et des lobbys, cette vérité-là n'a pas sa place, elle est inacceptable.

Ce livre vous apprendra probablement beaucoup, comme j'ai moi-même beaucoup appris avant de l'écrire. Vous ferez plus ample connaissance avec les céréales et en particulier le blé, vous saurez quels sont leurs effets sur la santé et comment certains messages nutritionnels diffusés par des sociétés savantes ou des industriels peuvent ruiner votre santé.

Ce que vous allez lire est choquant, dérangeant. Il est encore temps de refermer ces pages, encore temps de continuer à vivre dans l'ignorance… Ou de commencer le premier chapitre.

Première partie

Connaître le passé pour comprendre le présent

Chapitre 1
Une histoire qui fait mal au ventre

L'histoire de Dorian commence en 1991. Cet été-là il décide de partir en vacances avec sa femme sur l'île de Corfou en Grèce. L'île de Corfou est surnommée « l'île d'émeraude » en raison de sa végétation verte et dense et de ses plages dorées où la température de l'eau atteint 25 degrés en été : une destination de rêve pour se reposer et oublier les tracas du quotidien. Le programme de Dorian est simple : soleil, mer, balades et bons petits plats. Mais c'est sans compter sur la turista. Très fréquente lorsqu'on voyage, cette infection est communément appelée « gastro » et provoque diarrhées, crampes abdominales, nausées, vomissements, de quoi gâcher les vacances. Dorian devra attendre le retour à la maison pour que ses troubles digestifs se normalisent. Pourtant, à partir de cet instant son état de santé ne cessera de se dégrader. Divers symptômes viennent se greffer les uns aux autres pendant les vingt années suivantes : tout d'abord de la fatigue chronique et des troubles digestifs récurrents (diarrhées) puis des indigestions et du reflux gastrique, des nausées, des éruptions cutanées, une peau sèche, des douleurs articulaires, des crampes nocturnes, des troubles de l'humeur et une légère dépression, des difficultés à effectuer des nuits complètes et réparatrices et une cystite interstitielle incurable (des douleurs au niveau de la vessie accompagnées d'envies fréquentes d'uriner). Évidemment ces nombreux symptômes amènent Dorian à consulter son médecin, mais celui-ci est dans l'incompréhension la plus totale, car tous les examens effectués sont normaux : le stress ?

Son médecin l'oriente néanmoins vers des spécialistes : un gastro-entérologue, un neurologue, un rhumatologue, un psychiatre. Les médecins sont tous sans réponse et se contentent d'essayer de diminuer les symptômes à l'aide de médicaments. Pour Noël 2006 le cadeau de Dorian sera une crise de colique biliaire, couronnée d'une ablation chirurgicale de la vésicule qu'il espère salvatrice. Mais malgré cela, les symptômes digestifs sont toujours là et Dorian se sent de plus en plus affaibli. À l'aube de l'été 2008, soit dix-sept ans après ses premières vacances en Grèce, il lui est difficile de fournir un effort physique aussi simple que de monter une colline. Dorian peine à se déplacer et passe de plus en plus de temps enfermé, il ne travaille plus. Passant une bonne partie de ses journées sur Internet, il traîne sur des forums médicaux où il échange avec d'autres malades. Un jour, l'un d'entre eux lui suggère d'essayer de supprimer de son alimentation le gluten, une protéine retrouvée dans le blé mais aussi d'autres céréales comme le seigle ou l'épeautre. Vu son état, il n'a pas grand-chose à perdre.

Le résultat est inimaginable : en moins d'une semaine, tous les symptômes ont fortement diminué et certains ont même disparu. Vu ce changement radical, Dorian poursuit son régime alimentaire et voit son état de santé s'améliorer de jour en jour tandis qu'aucun diagnostic n'est encore posé. C'est le Dr Kamran Rostami, médecin spécialisé en gastro-entérologie qui le fera en 2012 : **Dorian souffre d'une sensibilité au gluten**. La sensibilité au gluten est une maladie fréquente qui ne peut être diagnostiquée ni par une prise de sang ni par un examen intestinal. C'est une pathologie différente de la maladie cœliaque dont nous parlerons également dans ce livre, mais elle a pourtant ruiné une partie de la vie de cet homme, brillant biochimiste[1].

Six pour cent de la population au moins serait touchée, certains chercheurs avancent même le chiffre de 35 % – une personne sur trois – ce qui représenterait entre 4 et 23 millions de Français !

➤ Mais comment le blé peut-il faire autant de dégâts ?

Comment expliquer qu'une céréale aussi courante et aussi anodine que le blé puisse être à l'origine de tant de troubles ? Nous mangeons du blé depuis des millénaires. Le blé n'est-il pas la base de notre alimentation ? Quand on pense que 98 % des Français consomment du pain et 83 % en consomment tous les jours, selon l'Observatoire du pain, cela laisse songeur...

D'ailleurs, les autorités sanitaires ne nous encouragent-elles pas à consommer plus de céréales, au détriment *des aliments trop gras, trop sucrés* ? En France, les recommandations nutritionnelles sont édictées par le Programme national nutrition santé (PNNS) avec le concours de différents organismes publics : l'Agence nationale de sécurité sanitaire de l'alimentation, de l'environnement et du travail (Anses), l'Institut national de veille sanitaire (InVS), la Haute autorité de santé (HAS), l'Institut national de recherche agronomique (Inra), et bien d'autres. En Belgique c'est le travail du Conseil supérieur de la santé dont le dernier rapport date d'octobre 2009, en Suisse celui de la Société suisse de nutrition (SSN) et de l'Office fédéral de la santé publique (OFSP) et au Canada, c'est le ministère fédéral de la Santé qui communique directement au travers du service Santé Canada pour promouvoir des conseils alimentaires destinés à améliorer la santé et à conserver la ligne. Et tous ces experts tiennent peu ou prou le même discours :

- En France : manger au moins cinq fruits et légumes par jour, limiter l'utilisation du sel, avaler trois produits laitiers par jour minimum, limiter l'apport en produits sucrés et surtout **manger trois à six portions de féculents par jour** (**pain, céréales**, pommes de terre, légumes secs).
- En Belgique : les recommandations sont plus floues mais sont comparables à celles instaurées en France, notamment en ce qui concerne l'importance des glucides dans l'alimentation qui doivent provenir « *pour l'essentiel de la consommation de* ***céréales*** ».
- La Suisse se démarque légèrement en ce qui concerne les recommandations de féculents qui sont de « trois portions par jour », de préférence **des céréales complètes**. Soit au minimum 300 g de pain ou de pâtes par jour.
- Au Canada : manger sept à dix portions de fruits et légumes par jour (deux fois plus qu'en France), limiter l'utilisation du sel, avaler deux produits laitiers par jour minimum (un de moins qu'en France), limiter l'apport en produits sucrés et manger six à huit portions de féculents par jour (**pain, céréales**, pommes de terre, légumes secs) **en privilégiant les céréales complètes**.

Au motif qu'elles représentent une source alimentaire de « *glucides complexes, très digestes et pauvres en graisses, qui procurent de l'énergie pendant longtemps* », les céréales sont érigées en aliment santé par les autorités sanitaires partout en Europe et en Amérique du Nord. Il y aurait beaucoup à dire sur les vertus santé supposées des céréales. Il serait intéressant de regarder de près les liens qui existent entre la consommation de céréales et le surpoids ou le diabète (de nombreux travaux ont été publiés à ce sujet et beaucoup de choses ont déjà été écrites[2, 3]) mais ça n'est pas le sujet de ce livre.

Un aliment chargé de symboles

Le blé est probablement la première plante cultivée dans l'Histoire. Elle est rapidement devenue une source majeure d'énergie pour l'homme. Mais l'agriculture est soumise aux aléas climatiques et de tout temps les mauvaises récoltes ont été accompagnées de famines conduisant parfois aux guerres. Les croyances et les rituels ont donc toujours joué un rôle important en alimentation humaine, dans l'espoir de récoltes meilleures. On peut citer notamment Osiris en Égypte, ou Déméter, déesse de l'agriculture et des moissons dans la mythologie grecque qui a probablement inspiré le nom du label biologique « Demeter » (dont les normes sont un peu plus strictes que le label « AB » classique). Au blé a donc été rapidement associé le symbole de la vie et du renouveau, incarné encore plus fortement par le pain, produit travaillé par la main de l'homme et qui rappelle le partage, l'abondance et la praticité. Dans la religion chrétienne, le pain est un symbole très fort, qui figure avec le vin, le corps et le sang du Christ. Les hosties ne sont rien de plus que du pain à base de farine de blé sans levain. Une symbolique qu'on retrouve également dans la prière « Notre Père » : « *Donnez-nous aujourd'hui notre pain de ce jour.* » Après le péché originel, la formulation du châtiment fait également référence au pain : « À *la sueur de ton visage, tu mangeras du pain jusqu'à ce que tu retournes au sol, car c'est de lui que tu as été pris. Oui, tu es poussière et à la poussière tu retourneras.* » (Genèse 3:19) Il en va de même de l'expression « *Tu gagneras ton pain à la sueur de ton front* », elle aussi d'origine biblique. Cette symbolique du blé et du pain n'est pas retrouvée en Asie où prédomine la culture du riz ni en Amérique où prévaut celle du maïs. Toute cette histoire nous a laissé en héritage de nombreuses expressions : « *gagner son pain* », « *avoir du pain sur la planche* », « *se répandre comme des petits pains* », « *mettre la main à la pâte* », « *ça ne mange pas de pain* », « *manger son pain blanc* », « *être dans le pétrin* », pour ne citer que quelques exemples. Même le mot « compagnon » a une étymologie surprenante puisqu'il est originaire du bas latin « *companionem* » qui signifie « celui avec qui l'on partage le pain ».

On retrouve également le symbole du pain dans le Judaïsme lors des Pâques juives (Pessa'h) : au cours de cette période de huit jours qui célèbre l'Exode hors d'Égypte et le début du cycle agricole annuel, les Juifs mangent du pain azyme et les aliments à base de pâte levée/fermentée sont bannis. Historiquement le pain azyme est choisi à cette période pour illustrer la hâte à sortir d'Égypte et l'impossibilité symbolique d'attendre que le pain lève. Le jour du Shabbat, c'étaient les douze « pains de proposition » sans levain que seuls les prêtres pouvaient manger en raison de leur caractère sacré. Aujourd'hui, un pain tressé (Hallah) est utilisé lors de chaque shabbat. En revanche l'Islam ainsi que les courants bouddhistes et les religions chinoises ne font pas du pain un symbole.

Ce qui nous intéresse aujourd'hui, c'est l'émergence de « nouveaux » troubles liés à la consommation de blé, ce sont des données médicales beaucoup plus récentes et surprenantes que je voudrais partager avec vous. Mais pour les comprendre, nous devons remonter dans le temps. La place qu'occupent les céréales aujourd'hui dans notre alimentation résulte d'une longue tradition de consommation (lire encadré ci-contre) qui remonte à des temps très anciens…

Enfin, tout est relatif…

Chapitre 2
L'alimentation au Paléolithique

Pour bien comprendre la situation actuelle, nous devons nous livrer à une petite rétrospective. L'observation du passé nous permet de mieux appréhender et de mieux comprendre le présent, elle met en place le contexte, explique les enjeux. Quelle était l'alimentation de nos ancêtres ? Et en particulier, que mangeait l'homme à ses origines ?

L'apparition de l'homme proprement dit (au sens de l'évolution) démarre par notre séparation des grands singes, qui, selon les chercheurs, est intervenue il y a environ 8 à 9 millions d'années. Le dernier fossile qui conforte ces dates est celui de Toumaï, découvert en 2001 au Tchad et vieux de 7 millions d'années. Notre alimentation a évolué et fluctué selon les âges et les lieux, mais elle a conservé un grand nombre de caractéristiques communes tout au long de cette période, jusqu'à il y a 10 000 ans environ avec l'apparition de l'agriculture.

Autrement dit, à l'échelle de l'évolution humaine, les changements qui sont intervenus au Néolithique (- 10 000 ans) sont extrêmement récents. De ce constat découle l'hypothèse formulée par de nombreux chercheurs : l'homme n'a pas eu le temps de s'adapter à l'alimentation moderne et c'est ce nouveau

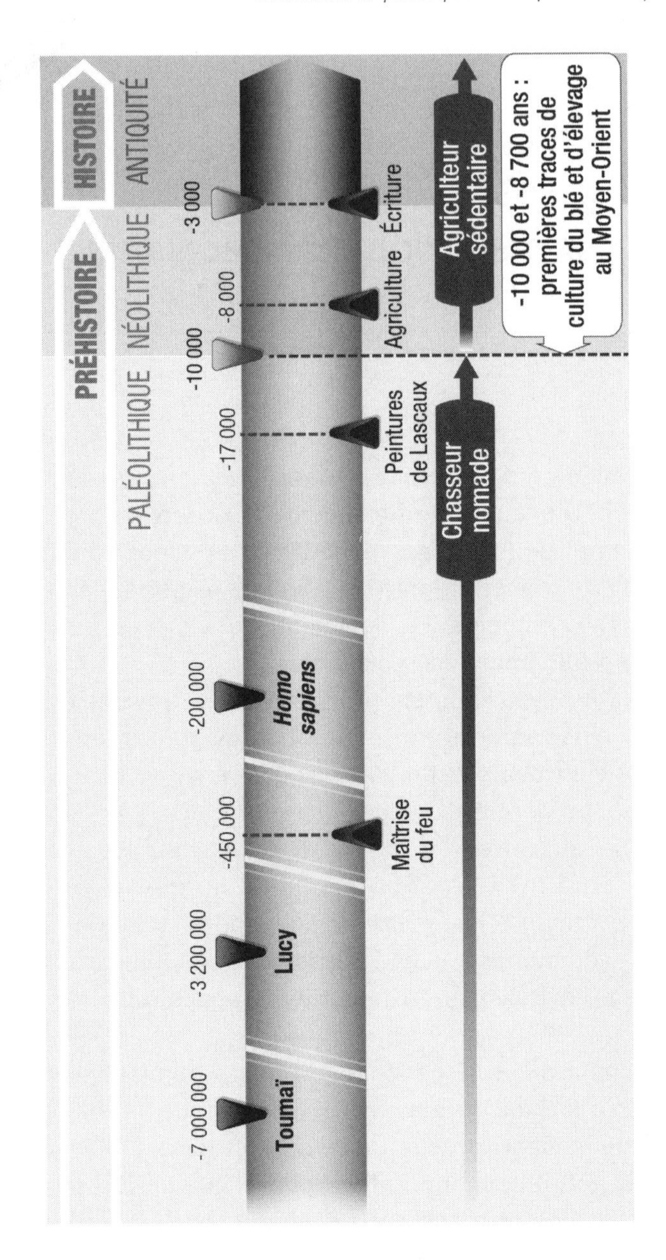
PRÉHISTOIRE
HISTOIRE
PALÉOLITHIQUE
NÉOLITHIQUE
ANTIQUITÉ
-7 000 000
Toumaï
-3 200 000
Lucy
-450 000
Maîtrise du feu
-200 000
Homo sapiens
-17 000
Peintures de Lascaux
-10 000
-8 000
Agriculture
-3 000
Écriture
Chasseur nomade
Agriculteur sédentaire
-10 000 et -8 700 ans : premières traces de culture du blé et d'élevage au Moyen-Orient

mode d'alimentation qui serait à l'origine de nos maladies modernes.

Cette théorie est fortement soutenue par les données des anthropologues qui montrent que les chasseurs-cueilleurs des XIXe et XXe siècles (qui ont un mode de vie proche de celui de nos ancêtres préhistoriques) ne connaissent pas nos maladies « de civilisation », en particulier l'obésité, l'ostéoporose, le diabète, l'hypertension artérielle, l'accident vasculaire cérébral et les maladies cardio-vasculaires, lorsque les individus sont comparés âge pour âge. Le cancer y est également plus rare. De plus, les quelques études d'intervention visant à observer l'impact d'une alimentation ancestrale de type chasseur-cueilleur sur des maladies comme le diabète et l'hypertension ont donné des résultats positifs. Même s'il semble difficile de tirer une conclusion définitive et tout aussi difficile d'adopter une telle alimentation, nous allons voir que quelques adaptations sont peut-être suffisantes.

D'après les chercheurs spécialistes, comme le Pr Staffan Lindeberg de l'université de Lund en Suède, l'alimentation de l'homme du Paléolithique était constituée de fruits sucrés et baies, pousses, bourgeons, fleurs et jeunes feuilles, viandes, moelle osseuse, organes animaux, poissons et crustacés, insectes, larves, œufs, racines, bulbes, oléagineux et graines (sauf céréales)[4]. Toujours selon le Pr Lindeberg, l'homme à cette époque ne consommait donc pas de céréales, aucune légumineuse, pas de produits laitiers, pas de sucre et pas d'huiles raffinées. Sur la question des céréales, tous les chercheurs ne sont pas de cet avis et les études les plus récentes font planer le doute sur la date exacte à partir de laquelle l'homme a commencé d'en consommer régulièrement. En 2010, des anthropologues américains ont pu mettre en évidence la présence de résidus de céréales dans la dentition de squelettes d'hommes de

Néandertal retrouvés en Irak et en Belgique[5] avec un âge estimé par la datation au carbone 14 de - 44 000 ans. Les résidus de graines de céréales analysés s'apparentent à une variété d'orge très ancienne et indiquent deux points importants : d'une part l'homme de Néandertal décortiquait les céréales avant de les manger, et d'autre part il les faisait déjà partiellement cuire. Cette trouvaille fut confirmée la même année par une équipe de chercheurs italiens, tchèques et russes qui ont pu montrer que des meules de pierre étaient déjà utilisées il y a 30 000 ans en Europe pour transformer grossièrement des céréales en farine avant la cuisson[6]. Il est donc probable que la cuisson et la consommation sporadique de céréales remonte à plus de 40 000 ans dans certaines zones de peuplement. Cela peut paraître ancien, mais si on rapporte ces chiffres à l'échelle d'une année civile alors nous mangeons des céréales depuis moins de deux jours.

On sait aussi que l'apport en protéines était relativement élevé, représentant 15 à 35 % de l'ensemble des calories ingérées. L'apport en lipides et en glucides devait varier sensiblement selon les saisons et les régions en fonction des végétaux disponibles. Concernant le total calorique (l'énergie totale amenée par l'alimentation), il était probablement faible à modéré. Cette alimentation dans son ensemble était donc très éloignée de notre alimentation moderne qui est riche en calories, pauvre en fibres, riche en céréales et donc en glucides, modérément riche en protéines (16,9 % pour l'apport moyen constaté) et souvent riche en graisses d'une qualité médiocre. Deux différences sont fondamentales : l'absence de céréales et l'absence de produits laitiers au Palélolithique.

Céréales, cuisson et évolution

Une des clefs de l'évolution humaine a été la quête d'une alimentation plus riche en calories et plus pauvre en antinutriments. En disposant d'une nourriture plus abondante et plus calorique, nous avons pu nous consacrer à d'autres activités comme les sciences ou l'art. Les antinutriments sont présents dans certains végétaux en quantités plus ou moins grandes et sont une arme de défense des plantes contre les prédateurs. Ils agissent en bloquant l'absorption de certains nutriments comme les minéraux. Une consommation trop régulière d'antinutriments finit donc par provoquer des carences alimentaires. Les céréales et les légumineuses sont une source importante d'acide phytique, d'inhibiteurs de trypsine et de lectines, trois antinutriments majeurs pour l'homme qui inhibent l'absorption du calcium, du zinc, du fer et des protéines. Toutefois, la cuisson est un moyen de réduire significativement l'activité de ces antinutriments[7, 8, 9] et elle a donc été une étape importante dans notre évolution, nous permettant alors d'accéder à des plantes plus caloriques[10]. Pour les chercheurs, il ne fait maintenant plus de doute que la cuisson a joué un rôle important dans le développement de notre cerveau en améliorant notre statut nutritionnel.

Les céréales : à l'origine de l'agriculture

Le terme « céréales » désigne les plantes cultivées pour leur grain et issues de la famille des graminées (nom scientifique *poaceae* ou *gramineae*). On trouve principalement dans cette famille le blé, le seigle, l'orge, l'avoine, l'épeautre, le kamut (appartenant à la sous-famille des *festucoïdées*), le riz (sous-famille des *oryzoïdées*), le millet, le maïs (sous-famille des *panicoïdées*) ou le teff (sous-famille des *chloridoïdées*). En revanche, le sarrasin (famille des *polygonacées*) et le quinoa (famille des *chénopodiacées*) ne sont pas des céréales,

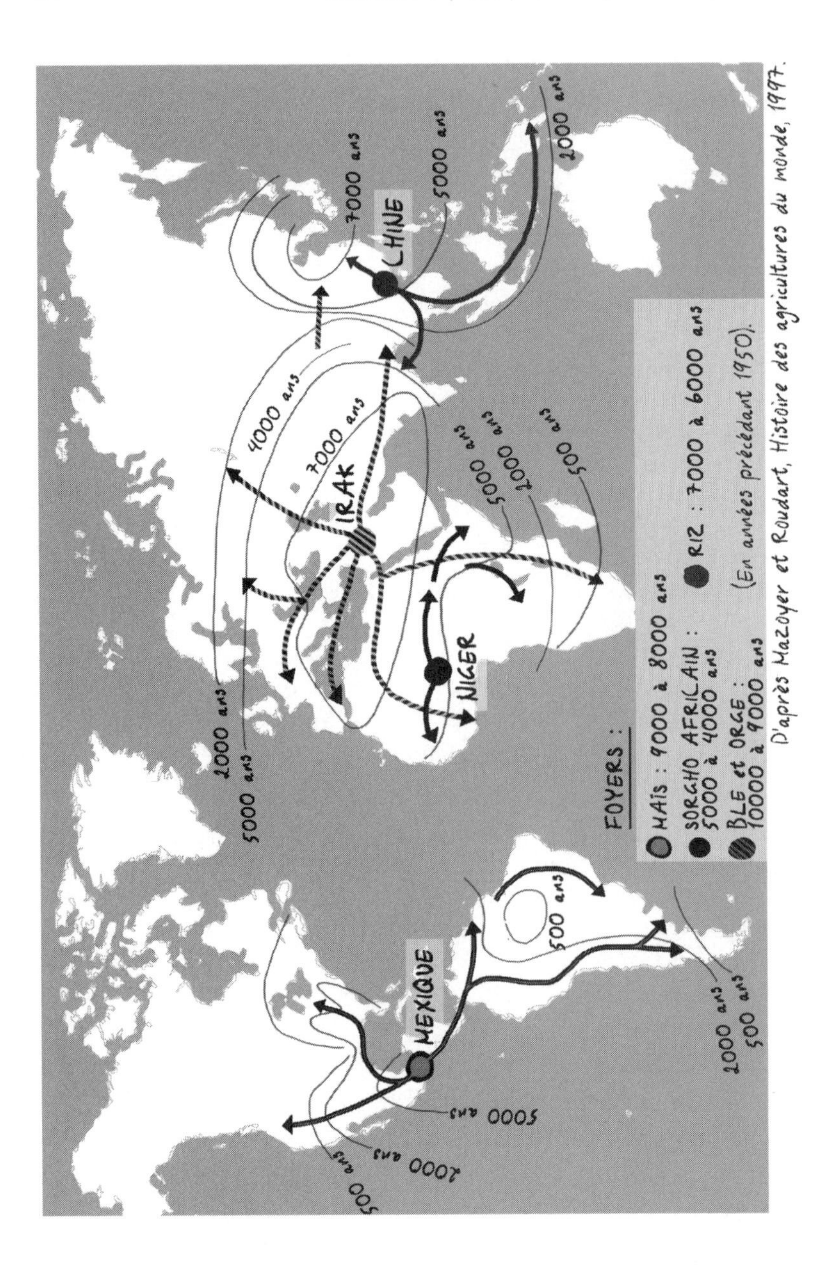

D'après Mazoyer et Roudart, Histoire des agricultures du monde, 1997.

mais sont consommés comme telles. Ceci étant dit les graminées ne sont pas toutes des céréales, par exemple le bambou ou la canne à sucre sont des graminées, mais pas des céréales. L'ensemble des graminées aurait un ancêtre commun qui se serait différencié au Crétacé, il y a environ 107 à 129 millions d'années[11].

En analysant les duplications chromosomiques au sein du génome des céréales, les chercheurs de l'Institut national de la recherche agronomique (Inra) ont mis au point un modèle qui identifie un ancêtre commun aux céréales à cinq chromosomes. Ce modèle est représenté sur le graphique suivant.

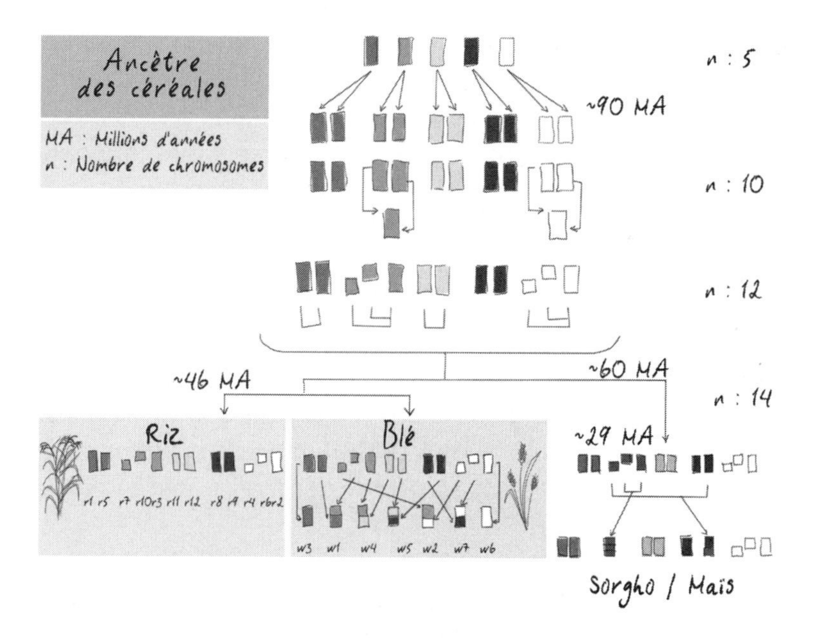

On peut voir qu'un ancêtre intermédiaire serait apparu il y a environ 60 millions d'années. Cet ancêtre aurait eu douze chromosomes et son plus proche représentant actuel serait le riz (douze chromosomes également) ce qui a poussé certains chercheurs à le qualifier de « pierre de rosette » des céréales.

Les céréales ont été domestiquées, c'est-à-dire cultivées, pour la première fois il y a environ 12 000 à 10 000 ans par les Natufiens, un peuple qui vivait dans le croissant fertile, les régions bordant la côte Méditerranéenne de l'Asie (aujourd'hui Israël, Syrie, Jordanie, Irak). C'est donc au Moyen-Orient que l'on trouve les premières traces du Néolithique, c'est-à-dire de la sédentarisation et la pratique de l'agriculture avec la domestication des céréales. Ce point n'est pas encore communément admis, mais il est néanmoins certain que les Natufiens ont été les premiers à consommer de manière abondante des céréales sauvages[12].

Cette période est donc là encore très récente si l'on considère que l'homme est apparu il y a 8 à 9 millions d'années. L'homme va passer progressivement du stade de chasseur-cueilleur à celui d'agriculteur-éleveur. Pour reprendre l'exemple de l'année civile, c'est comme si la culture des céréales avait commencé le dernier jour, soit le 31 décembre vers 13 heures, mettant un terme à 364 jours d'habitudes alimentaires. L'apparition de l'agriculture marque un tournant pour l'humanité, car ce nouveau mode de vie permettra à l'homme de se consacrer à d'autres activités que la chasse. Ce changement est donc à l'origine de la culture et de l'épanouissement de l'homme tel qu'on le connaît aujourd'hui, fort de ses préoccupations intellectuelles et limitant la chasse à celle des moustiques estivaux.

Je ne m'étendrai pas ici sur l'absence de produits laitiers dans l'alimentation humaine au Paléolithique. Leur introduction fut progressive et encore plus tardive que celles des céréales avec l'expansion de l'agriculture et de la sédentarité. Je soulignerai néanmoins quelques points importants : dans l'espèce humaine, la lactase, une enzyme nécessaire pour digérer le lactose (sucre du lait des mammifères), était génétiquement programmée pour rester active pendant l'allaitement, puis s'éteindre au moment du sevrage, soit environ trois ans après la naissance. L'homme du Paléolithique était donc incapable de digérer le lait après l'âge de 3 ans, ce qui tombe bien puisqu'en l'absence d'élevage, il ne buvait pas de lait animal. La consommation massive de produits laitiers qui caractérise les pays occidentaux est donc là encore un événement nouveau pour l'espèce humaine. L'activité de la lactase est d'ailleurs toujours très faible ou inexistante à l'âge adulte pour la grande majorité des peuples, en particulier les Africains et les Asiatiques, ce qui se traduit par des troubles digestifs après l'ingestion de lait, fromage blanc ou crème. Par contraste, les populations d'origine nord-européennes et du Caucase ont développé une mutation qui a conduit à la persistance de la lactase par sélection génétique environnementale : leur consommation régulière de lait a poussé l'organisme à maintenir l'activité de la lactase[13]. Mais le maintien de la lactase, s'il permet aux populations du nord de l'Europe de boire du lait à l'âge adulte, ne les met pas pour autant à l'abri d'autres problèmes liés à la consommation de protéines laitières (lire encadré).

Cette dangerosité d'un produit *a priori* commun et banal pourrait très bien provenir d'une absence d'adaptation au sens génétique du terme compte tenu de l'introduction encore très récente des laitages dans l'alimentation humaine. Cette étude s'ajoute à bien d'autres qui ont été rapportées par le journaliste scientifique Thierry Souccar dans *Lait, mensonges et propagande*, un livre qui a fait grand bruit dans les pays francophones et lui a valu les foudres de l'industrie laitière et de nombreux médecins. Je vous conseille vivement de le lire.

Le lait, un facteur de risque pour les maladies auto-immunes

Outi Vaarala est professeur d'immunologie pédiatrique et directrice de l'unité de réponse immunitaire à l'Institut national pour la santé et le bien-être à Helsinki en Finlande. Elle est l'auteur d'une étude retentissante publiée en mars 2012 : 1 113 enfants finlandais qui présentaient une sensibilité génétique au diabète de type 1 ont été assignés de manière aléatoire et en double-aveugle (ni les parents ni les médecins ne savaient qui recevait l'une ou l'autre des interventions) à recevoir pendant les six premiers mois de vie soit :

- une formule standard à base de lait de vache ;
- une formule à base de whey hydrolysée ;
- une formule à base de whey exempte d'insuline bovine.

La whey est une protéine laitière (protéine de petit-lait, lactosérum), présente à hauteur de 20 % dans le lait, les 80 % restants étant représentés par la caséine. Le processus d'hydrolyse consiste à découper les protéines en petits morceaux, comme si elles étaient prédigérées. Cette technique a plusieurs avantages et permet notamment de diminuer les risques d'allergies. Les chercheurs avaient déjà montré qu'une formule de caséine hydrolysée diminuait le risque de réaction auto-immune[14] comparativement à la caséine intacte.

À trois mois, six mois, un an, deux ans et trois ans, les chercheurs ont évalué l'état de santé des enfants et ont mesuré la présence d'auto-anticorps dirigés contre l'insuline ou d'autres protéines annonciatrices du développement de la réaction immunitaire à l'origine du diabète de type 1. Résultats : comparativement à la formule classique à base de lait de vache, l'utilisation de la whey hydrolysée a diminué le risque d'auto-immunité de 25 % et l'utilisation de whey sans insuline bovine a diminué le risque de 61 %. Cette étude a confirmé, après de nombreuses autres conduites depuis plus de vingt ans, que les protéines laitières jouent un rôle dans la réponse immunitaire naturelle et peuvent présenter des dangers pour la santé.

Chapitre 3
La naissance du blé

Le blé est un terme générique qui regroupe les espèces du genre *Triticum*. On compte plus d'une dizaine d'espèces dans ce groupe, dont certaines n'ont vu le jour qu'en laboratoire. Il faudrait donc parler « des blés » plutôt que « du blé », d'autant que, comme nous allons le voir, il existe des différences colossales entre les différentes variétés. Quelles sont ces différences ?

Les blés, comme la plupart des plantes, sont polyploïdes (lire encadré p. 31). Au fil du temps on a vu apparaître différentes espèces de blé, chacune présentant des caractéristiques génétiques distinctes. La plupart de ces différences résultent d'une adaptation de la plante à son environnement (évolution au sens de Darwin) ou bien de mutations génétiques spontanées.

- Le blé ancestral consommé et/ou cultivé par les Natufiens porte le nom **d'engrain sauvage** (nom scientifique *Triticum boeoticum*) qui deviendra rapidement l'engrain ou petit épeautre (*Triticum monococcum*) sous l'effet de la domestication, c'est le premier blé cultivé. Ces variétés de blé présentent **quatorze chromosomes** : sept chromosomes du « père » et sept chromosomes de la « mère » ; on dit que ces blés sont diploïdes. Les caractéristiques de l'engrain sauvage sont un faible rendement, une faible teneur en gluten (environ deux fois moindre que dans les blés modernes), ce qui ne permet pas de fabriquer du pain. Le gluten présente des épitopes : il s'agit de parties de la molécule qui ont un pouvoir antigénique, c'est-à-dire qu'elles peuvent être détectées par notre système immunitaire et déclencher une réaction de défense. Lorsque cette réaction immunitaire a lieu, elle conduit à un phénomène pathologique appelé « maladie cœliaque » (lire p. 63). D'après une étude publiée en 2010 par des chercheurs néerlandais, le gluten de l'engrain contient moins d'épitopes antigéniques et pourrait donc être digéré par les personnes atteintes de la maladie cœliaque sans déclencher de réaction immunitaire[15]. En 2006, des chercheurs italiens avaient déjà montré en laboratoire que le gluten de l'engrain n'était pas toujours toxique pour l'intestin de personnes diagnostiquées « malades cœliaques »[16]. Dit autrement, cela signifie que la maladie cœliaque n'existait peut-être pas au Paléolithique ni au début du Néolithique et de l'agriculture moderne.

- Plus tard, un croisement naturel aura lieu entre l'engrain domestiqué et une plante herbacée (qui n'a pas été déterminée avec précision, mais qui pourrait être *Aegylops speltoides*). La combinaison des génomes *via* la polyploïdie donnera naissance à un blé tétraploïde possédant **vingt-huit chromosomes**, l'amidonnier sauvage (*Triticum dicoccoides*) puis l'amidonnier domestiqué (*Triticum dicoccum*). Ce blé, en s'éloignant de l'engrain sauvage, est devenu toxique pour les malades cœliaques[17]. Il renferme davantage de gluten et, de fait, peut être utilisé pour faire du pain, une technique qu'on doit aux Égyptiens à l'époque des Pharaons. C'est probablement ce blé qui est mentionné dans la Bible et qui a été consommé pendant des millénaires. Des sélections opérées par la main

La polyploïdie du blé

Comme un grand nombre de plantes, le blé est polyploïde. Cela signifie que son matériel génétique peut se combiner et s'additionner à celui d'une autre plante. Ainsi le blé ancestral, l'engrain sauvage, possédait-il quatorze chromosomes alors que le blé moderne que nous consommons aujourd'hui en possède quarante-deux. À titre de comparaison, l'homme possède quarante-six chromosomes et l'ajout d'un seul, par exemple le chromosome 21, donne lieu à la trisomie 21 qui se manifeste par des anomalies sévères en particulier au niveau cognitif. Cet exemple peut paraître absurde puisque nous ne sommes pas des plantes, mais en réalité nous en savons très peu sur les conséquences de la polyploïdie du blé en dehors des aspects purement esthétiques et agricoles (taille des épis, résistance aux conditions climatiques, teneur en gluten, etc.). Ces mutations et recombinaisons pourraient bien cacher une véritable bombe à retardement.

de l'homme ont ensuite donné naissance à plusieurs variétés comme le blé dur (*Triticum durum*) qu'on cultive aujourd'hui pour faire les pâtes. Les autres variétés de cette famille sont moins connues : le blé poulard (*Triticum turgidum*) ou le kamut (*Triticum turanicum*) dont le véritable nom est « blé du Khorasan ».

- La troisième catégorie des blés est représentée par les blés hexaploïdes, possédant donc **quarante-deux chromosomes**, soit presque autant que l'homme. Ils sont issus d'une hybridation avec une autre plante herbacée (qu'on suppose être *Aegilops tauschii*, aussi appelé *Aegilops squarrosa*) qui aurait eu lieu dans des champs de blé dur cultivé. On ne connaît aucun blé hexaploïde sauvage. Cette nouvelle espèce de blé ainsi

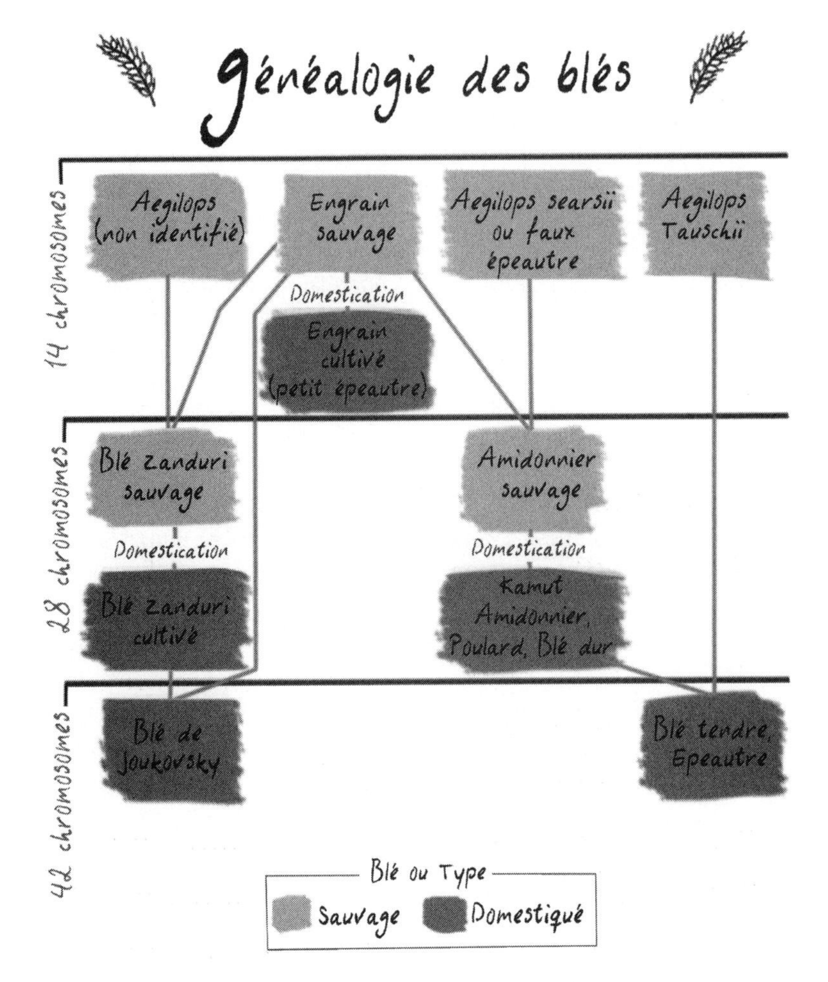

créée a acquis un nouveau génome qui lui confère notamment une résistance au froid ; il est donc adapté à une plus grande variété de climats. On trouve ici **l'épeautre** ou grand épeautre (T*riticum spelta*) ainsi que le blé tendre appelé aussi **froment** (T*riticum aestivum*), espèce la plus cultivée au monde, notamment pour sa farine qui sert à faire le pain.

Qu'est-ce que le blé aujourd'hui ? Si je vous posais cette question vous me répondriez : « *Triticum aestivum* » ! Malheureusement, depuis un siècle, nos blés sont les enfants de *Triticum aestivum* et ils n'en ont plus toutes les caractéristiques. Bien qu'ils comportent le même nombre de chromosomes, les variétés de blé actuelles sont régulièrement croisées et modifiées dans l'opacité la plus totale. Il existe donc un nombre très important de sous-variétés du blé tendre. Les plus jolies s'appellent *Pitic* 62, *Penjamo* 62, *Lerma Rojo* 64, *Siete Cerros*, *Sonora* 64 ou encore *Super* X, de quoi ouvrir l'appétit. Ces blés ont tous été créés par la main de l'homme, notamment dans les années 1960. **Ce sont des mutants**. Leurs modifications ont été telles qu'ils ont un rendement plus faible que leurs homologues naturels en l'absence d'utilisation de produits fertilisants[18] et il est probable que leur survie dans la nature sans la présence humaine serait impossible. Mais il y a pire…

➤ Frankenblé

Au XXe siècle, l'agriculture moderne a fait de grands pas en avant. La production de céréales et en particulier de blé augmente considérablement. Néanmoins, dans certains pays, la population croît plus vite que la nourriture disponible. En 1950, les États-Unis sont capables de produire assez de blé pour répondre aux besoins du pays, mais pendant ce temps la famine menace des millions de personnes au Pakistan ou en Inde. De son côté le Mexique est incapable de répondre à sa propre demande. Face à cette situation de crise, la fondation Rockefeller et le gouvernement mexicain sollicitent Norman Ernest Borlaug, un brillant agronome spécialisé en génétique, pour qu'il mette au point une variété de blé plus productive. Il s'agit d'enrayer la famine qui menace une partie du monde. Borlaug doit résoudre deux problèmes de taille : créer un blé plus résistant aux maladies et ayant une plus grande capacité à soutenir une croissance élevée. Car, sous l'effet des nitrates apportés par les produits fertilisants, le blé grandissait trop vite puis s'écroulait sur lui-même, rendant très difficile l'augmentation du rendement.

C'est en 1953 que le chercheur a appliqué une technique génétique pour sélectionner les blés résistants à certaines maladies[19]. Cette technique s'appelle le rétrocroisement (lire encadré).

Qu'est-ce que le rétrocroisement ?

Prenons l'exemple d'un blé tendre originel ayant un bon rendement aux États-Unis. Si on le plante dans un pays tropical, par exemple au Brésil, et qu'il rencontre une maladie inconnue, il a toutes les chances de dépérir. Supposons également qu'il existe une variété de blé tendre au Brésil qui résiste à cette maladie. Point noir : son rendement est particulièrement faible. L'objectif consiste donc à conserver notre blé à haut rendement, mais à lui ajouter un nouveau gène, celui de la résistance à la maladie. Pour cela on va croiser les deux blés ce qui donnera 50 % de blés ayant conservé le caractère voulu et 50 % de blés sans ce caractère. On conserve les premiers que l'on croise à nouveau avec le blé parent à haut rendement et on obtient alors 75 % de blés qui ont conservé la résistance contre 25 % de blés normaux. Au bout du huitième croisement presque 100 % des descendants ont les caractères du blé tendre, mais ils possèdent en plus la résistance à cette maladie. Cette technique s'appelle le rétrocroisement. Elle est différente du génie génétique qui consiste à introduire directement dans le génome d'un être vivant de nouveaux gènes – on parle de transgénèse.

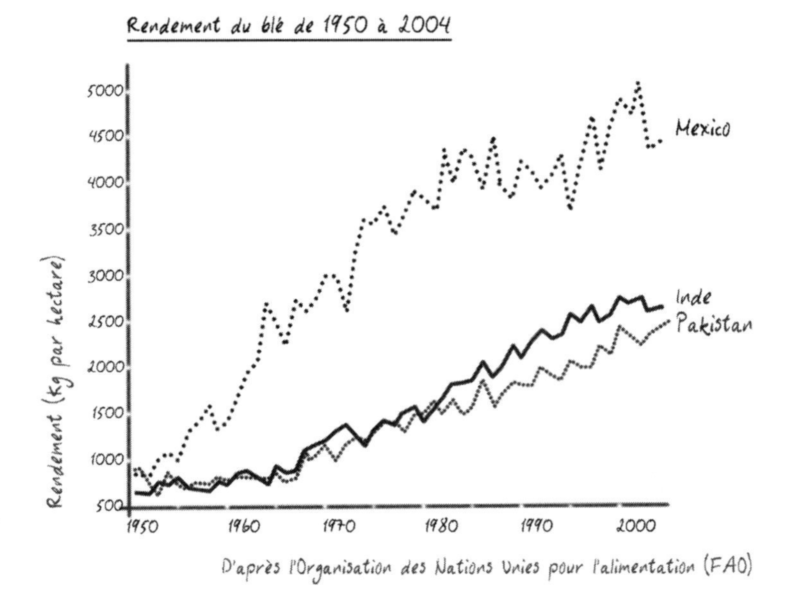

L'utilisation du rétrocroisement a donc donné naissance à plusieurs variétés appelées *Pitic* 62 et *Penjamo* 62, plus adaptées à des pays comme le Mexique. Reste le problème de la tenue de tige : comment rendre le blé plus résistant de sorte qu'il ne s'effondre pas au fil de sa croissance ? Pour y parvenir, le chercheur et son équipe se sont donc intéressés à une variété de blé nain conçue expérimentalement au Japon dans les années 1930, le blé *Norin* 10. En appliquant la même technique de rétrocroisement, ils ont transféré le gène qui contrôle la taille au nouveau blé résistant préalablement créé[20]. Ces nouveaux blés mis au point en 1964 portent les doux noms de *Lerma Rojo* 64, *Siete Cerros*, *Sonora* 64 ou *Super* X et peuvent avoir un rendement jusqu'à trois fois supérieur à celui du blé originel.

Pour comprendre l'impressionnante ampleur des travaux de Borlaug, il faut regarder le graphique ci-dessus qui montre l'évolution de la production de blé entre 1950 et 2004 pour le Mexique, l'Inde et le Pakistan (informations fournies par la FAO).

Le travail considérable de Norman Borlaug est à l'origine d'une période aujourd'hui appelée la Révolution verte, période pendant laquelle plus de cinquante sous-variétés de blé ont été créées[21]. Ses efforts lui valurent le prix Nobel de la paix en 1970 pour avoir contribué à sauver des millions de vies humaines. On le qualifie depuis de « père de la Révolution verte ». Depuis, ces variétés de blé sont largement utilisées à travers le monde.

Mais j'y pense : introduire un nouveau gène dans un organisme ? Ça ne vous rappelle rien ? Les organismes génétiquement modifiés ? Oui, cela laisse songeur. Si l'on s'en tient à la définition européenne, les OGM doivent être issus du génie génétique, le blé moderne, obtenu par rétrocroisement, n'en est donc pas un. Malheureusement, la mise au point de ce nouveau blé a fait oublier qu'il pouvait être utile de tester l'innocuité de cette nouvelle céréale avant de la cultiver à l'échelle mondiale. À cette époque, les scientifiques ont simplement supposé que ces nouvelles souches n'étaient qu'une question d'ajouts ou de délétions, parfaitement saines pour l'homme. Après tout, les techniques d'hybridation ont bien été utilisées pendant des siècles sans effets secondaires. On a donc supposé que changer quelques enzymes et quelques protéines ne posait pas de problème.

De telles suppositions se sont révélées fausses. En 2009, des chercheurs ont démontré, en analysant les protéines d'un blé hybride, que 95 % des protéines exprimées étaient présentes chez l'un ou l'autre des deux parents, mais que 5 % sont uniques, introuvables chez aucun des parents[22]. Les protéines du gluten seraient particulièrement concernées par ce phénomène[23]. En fait, il faudra attendre les années 1990 pour que les chercheurs commencent à décrypter les fonctions exactes des nouveaux gènes implantés par les rétrocroisements[24] et toutes ne sont pas encore comprises aujourd'hui. En 2005, des chercheurs de l'Inra avaient déjà montré que le réarrangement du génome de ces blés modernes était plus important que prévu et que des locus (un emplacement précis sur un chromosome) présentaient un génome nouveau, imprévisible à partir des ancêtres communs[25]. Ajouter un gène n'est donc pas aussi anodin que bricoler dans son garage. Les différences introduites semblent avoir un impact important sur la santé humaine comme nous allons le voir dans la suite de ce livre.

Aujourd'hui en 2013, un consortium mondial tente de décrypter le génome des blés modernes. Il faut dire qu'avec plus de 90 000 gènes (contre seulement 30 000 chez l'homme) la tâche est ardue. Objectif? Ouvrir la porte à l'introduction de nouveaux gènes de manière précise pour pousser toujours plus les rendements. En France, c'est Catherine Feuillet, directrice de recherches à l'Institut national de recherches agronomique (Inra) de Clermont-Ferrand qui est chargée du projet. Dans un entretien accordé à Sylvestre Huet, journaliste à *Libération*, elle explique : « *Jusqu'à présent, la sélection des variétés pour améliorer les semences reste une sorte d'art, fondé sur l'analyse visuelle ou de paramètres physico-chimiques des plantes. Cet art a permis de nombreuses améliorations, mais il touche ses limites. Pour aller plus loin, il nous faut dépasser cette démarche un peu aveugle, ouvrir la "boîte noire" du génome.* » Puis, « *Dès lors, puisque nous saurons où se trouvent les "bons" gènes – d'abord de manière approchée, puis dans l'idéal avec l'identification précise de chaque gène et de son rôle dans la physiologie de la plante –, il sera possible de les croiser, d'opérer des combinaisons non plus à l'aveugle mais en connaissance.* » « *À l'aveugle* », vous avez bien lu.

Rencontre avec Jean-François Narbonne, professeur de toxicologie à l'université de Bordeaux, expert auprès de l'Agence nationale de sécurité sanitaire (Anses)

Y a-t-il des effets inattendus lors de croisements chez des végétaux polyploïdes ?
« Les hybridations chez les végétaux modifient l'expression de certains gènes : par exemple certains caractères récessifs peuvent s'exprimer alors qu'ils ne l'étaient pas chez les deux parents. Cette situation est comparable à ce qu'on obtient avec la transgénèse c'est-à-dire les OGM : l'insertion d'un nouveau gène peut avoir un impact sur l'expression des gènes existants et de nouvelles protéines inattendues peuvent s'exprimer. De plus, dans la zone d'insertion du transplant, des gènes de fusion peuvent apparaître et donc exprimer une protéine inconnue. C'est cette question qui est notamment à l'origine du contrôle sanitaire des OGM ; l'hybridation et la transgénèse sont donc des situations en partie comparables bien que les hybrides ne soient pas soumis à évaluation comme c'est le cas des OGM actuellement. »

Quelles sont les conséquences possibles pour la santé ?
« Comme la transgénèse, l'hybridation peut avoir des effets sur la digestibilité ou sur les épitopes présents ou démasqués, qui sont des séquences de protéines à l'origine des réactions d'allergies et d'intolérances. Pour les OGM, les modifications de la digestibilité sont analysées, mais pour l'allergénicité, nos moyens techniques sont limités. La modification des épitopes peut augmenter les allergies et stimuler le système immunitaire, en particulier au niveau de l'intestin qui est un organe très sensible. »

Comment est testée l'innocuité des nouvelles céréales ?
« Il n'y a aucun test pour les hybrides. Tout changement effectué sur un aliment peut avoir un impact sur la santé, même une simple cuisson. L'arrivée des OGM en 1994 a alerté les autorités sanitaires, ce qui a poussé à mettre en place la directive

Européenne "Novel Food" en 1997, centrée sur l'évaluation des OGM. Le problème, c'est qu'on s'attend à avoir des problèmes avec des produits chimiques ou des médicaments mais pas forcément avec des céréales. L'évolution logique des agences sanitaires devrait conduire à tester toute innovation dans la production et la transformation de nos aliments y compris, donc, les hybrides. C'est la même démarche qui a mené au règlement Reach impliquant à terme l'évaluation de toutes les substances introduites dans notre environnement. »

Existe-t-il des substances chimiques courantes de l'environnement qui sont connues pour augmenter la perméabilité intestinale ?

« On sait que certains perturbateurs endocriniens comme le bisphénol A (utilisé dans certains plastiques ou dans le revêtement interne des boîtes de conserve) peuvent augmenter la perméabilité intestinale. Il est probable que d'autres substances chimiques ont des effets similaires au niveau intestinal, y compris des pesticides, mais les recherches fondamentales sont trop récentes pour inclure cet effet dans les réglementaires. »

Le rêve de Norman Borlaug était de mettre au point une nouvelle variété de blé pour sauver des vies et limiter la déforestation. Son raisonnement était simple, pour pouvoir continuer à produire des céréales et nourrir la population mondiale, il n'y a que deux solutions : soit la population mondiale diminue (volontairement ou à la suite de la famine et de maladies), soit on détruit des forêts pour augmenter la surface des terres cultivables. La mise au point de nouveaux blés à haut rendement permettait donc de s'affranchir de ces deux contraintes. Norman Borlaug a pu voir son rêve partiellement réalisé avant sa mort en 2009, mais il a probablement aussi eu le temps de s'apercevoir que la population mondiale croît de manière quasi exponentielle et que la surpopulation et la famine sont des

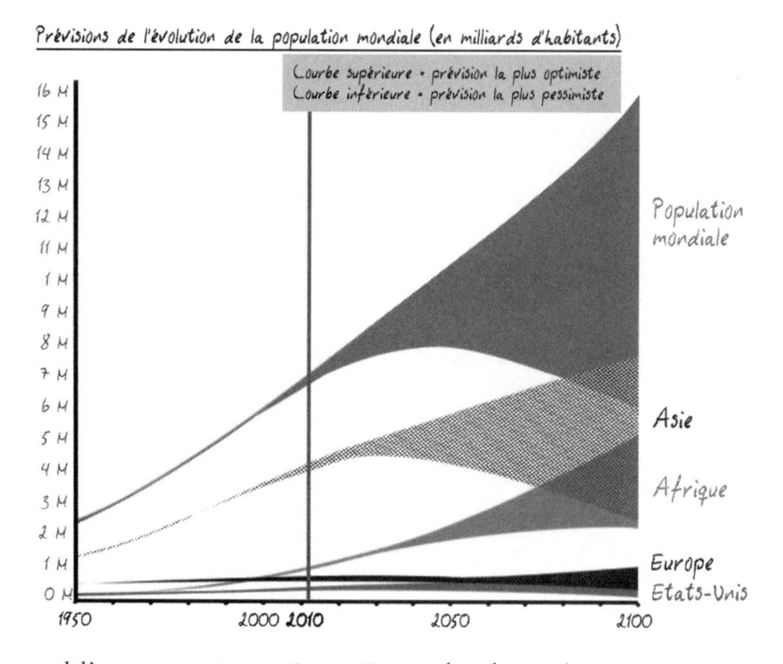

problèmes constants. On estime selon les prévisions que nous serons entre 7,5 et 10,5 milliards d'êtres humains sur Terre en 2050. Chaque année, nous cherchons des solutions : devenir végétarien (produire 1 kg de viande de bœuf nécessite 13 kg de céréales pour nourrir les animaux[26]), mettre au point de nouvelles céréales. Quoi d'autre ? Et que ferons-nous lorsque nous serons 20 milliards sur Terre ? Il est probable que la question de la surpopulation mondiale s'imposera un jour à nous et que si nous ne faisons rien, c'est la famine qui agira pour nous.

➤ La Révolution verte, une révolution à double tranchant

Certes, Norman, Borlaug a sauvé des millions de vie mais, en mettant au point de nouveaux blés à haut rendement, il a modifié profondément le génome de ces céréales. Or, nous allons le voir, ces nombreuses mutations subies par le blé depuis la Révolution verte ne sont pas anodines pour notre santé.

Deuxième partie

Le blé nuit-il à votre santé ?

Chapitre 1
Le rôle clé de l'intestin pour notre santé

Pour comprendre l'impact du blé sur la santé, il nous faut comprendre le cheminement de cet aliment dans notre organisme, c'est-à-dire comment se déroule la digestion. Cette partie pourra vous sembler technique de prime abord, mais elle vous permettra finalement une compréhension complète de mécanismes sous-jacents à de nombreuses maladies.

Lorsqu'on introduit des aliments solides dans notre bouche, nous déclenchons la mastication. La salive humidifie les aliments et démarre la digestion *via* l'action d'une enzyme : l'amylase salivaire qui va découper les molécules d'amidon (que l'on trouve dans les féculents) en morceaux plus petits. Plus bas, l'ensemble des aliments (le « bol alimentaire ») atteint l'estomac et est censé y rester grâce à un petit anneau, le sphincter œsophagien inférieur. Celui-ci ne s'ouvre normalement que dans un sens, pour laisser passer les aliments en provenance de l'œsophage. Malheureusement il arrive que ce système soit défaillant, ce qui se traduit par un reflux du bol alimentaire. Le contenu de l'estomac étant très acide, il agresse les parois de l'œsophage. C'est ce qu'on appelle le reflux gastro-œsophagien (RGO) qui touche de nombreux Français et qui pourrait cacher en réalité un tout autre trouble.

L'estomac va mélanger les particules alimentaires aux sucs digestifs. Ces sucs digestifs ont chacun un rôle particulier. On retrouve les éléments suivants.

- L'acide chlorhydrique : il s'agit d'un liquide extrêmement acide. Il va permettre d'abaisser le pH dans l'estomac à une valeur située entre 1 et 3. Il est très corrosif, capable de dissoudre des métaux et le simple contact avec la peau suffirait à la « trouer » ! Cette forte acidité va permettre de détruire un grand nombre de bactéries qui auraient pu se trouver dans les aliments (mais pas forcément la totalité), et également d'activer les enzymes qui dégradent les protéines du blé.
- Le mucus : pour se protéger de l'acide qui pourrait entraîner une auto-digestion de notre estomac, il y a production de mucus, une substance visqueuse protectrice. Il arrive que cette protection soit insuffisante dans certaines maladies. Lorsque l'estomac est endommagé par l'acide (ou par autre chose), on parle alors d'ulcère.
- La gastrine : cette hormone contrôle la production d'acide gastrique (un gros repas nécessitera plus d'acide qu'un petit repas).
- La pepsinogène : cette enzyme est inactive dans un premier temps. Dès que le milieu devient acide, elle se découpe, ce qui la rend active. Elle s'appelle alors la pepsine et devient capable de couper les protéines en peptides (toutes petites protéines) qui pourront être digérés. Les protéines du blé sont si particulières que l'une d'elles, **la gliadine**, va résister à cette enzyme et va poursuivre son chemin le long du tube digestif[1].
- La lipase gastrique : cette enzyme possède une action limitée sur les lipides dans l'estomac, mais agit tout de même sur les graisses alimentaires (triglycérides) qu'elle réduit en éléments de base appelés acides gras.

- Le facteur intrinsèque : cette protéine sera utilisée plus tard pour permettre l'absorption de la vitamine B12 dans l'intestin.

Ainsi, dans l'estomac, commence la digestion des protéines et des lipides, grâce à une action mécanique (brassage) et une action chimique (sécrétions). Mais l'estomac joue aussi un premier rôle protecteur contre les agressions extérieures avec sa production d'acide surpuissant. Cette protection est efficace contre un grand nombre de bactéries, mais pas contre toutes : en effet les ulcères sont souvent provoqués par une bactérie appelée *Helicobacter pylori* qui résiste aux acides gastriques. Selon les chercheurs, elle est responsable de 70 à 80 % des ulcères[2]. Le rôle joué par le stress dans cette maladie est donc en réalité très faible. L'utilisation d'antibiotiques est souvent nécessaire pour en venir à bout.

À la sortie de l'estomac, le bol alimentaire sous sa nouvelle forme prend alors le nom de chyme. Ce chyme va passer par un tube appelé duodénum avant son arrivée dans l'intestin. Dans le duodénum, le pancréas déverse du bicarbonate de sodium, un composé basifiant qui va neutraliser l'acidité de l'acide chlorhydrique pour éviter que celui-ci n'endommage tout notre système digestif. Le pancréas produit aussi des enzymes, des protéases (pour découper les protéines en petits morceaux digestibles), des amylases (pour découper l'amidon en petits morceaux digestibles) et des lipases (nécessaires à la bonne digestion des graisses). Là encore, les enzymes pancréatiques ne permettront pas la découpe de la gliadine en petits morceaux comme c'est le cas pour les autres protéines alimentaires en raison d'une structure particulière, partiellement résistante à nos enzymes. Elle poursuit donc son chemin.

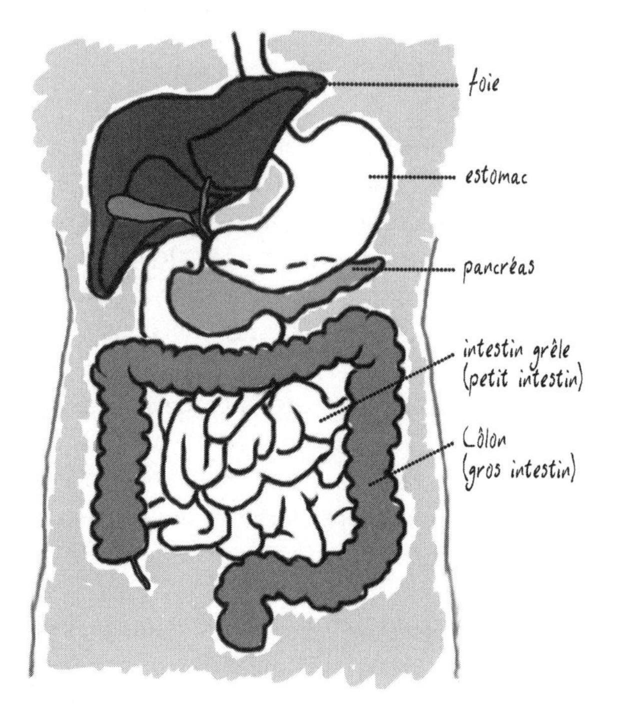

Par la suite, le chyme va arriver dans un deuxième organe d'une importance capitale : **l'intestin**. Celui-ci se divise en deux parties : successivement le petit intestin (aussi appelé « intestin grêle ») puis le gros intestin (aussi appelé « côlon »). C'est dans l'intestin grêle que va avoir lieu la majeure partie de l'absorption des nutriments. Pour cela, il est doté de caractéristiques très particulières : d'une longueur de 6 à 7 mètres en moyenne chez un homme adulte, l'intestin grêle a une structure optimisée dans le but d'augmenter sa surface de contact. Ainsi, il est formé de multiples plis et replis qu'on appelle les anses et les valvules conniventes. Puis, en surface, on retrouve encore des plis, à la manière de tentacules, qui comportent à leur superficie

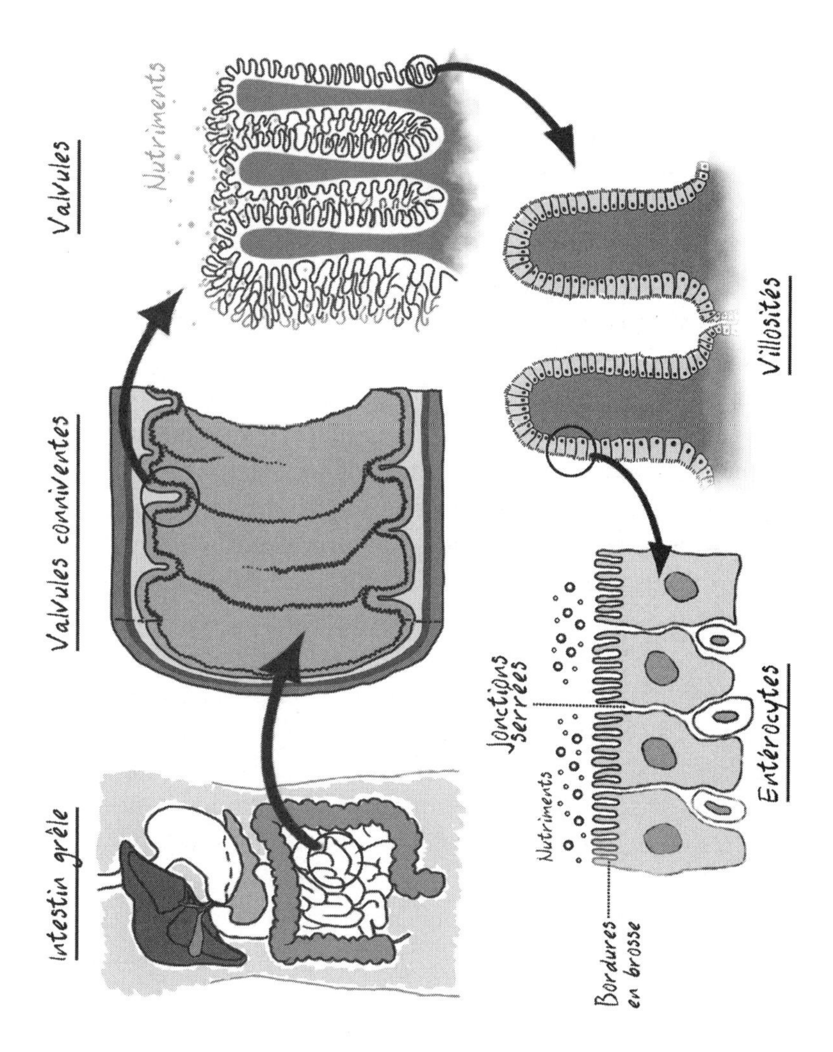

des villosités et des microvillosités qui constituent **la bordure en brosse**. On estime que toutes ces villosités permettent une surface de contact moyenne d'environ 250 m², ce qui représente presque deux terrains de volley-ball !

On retrouve également diverses enzymes dans les membranes externes de l'intestin qui vont permettre d'achever la digestion de certains sucres. C'est par exemple à ce moment que la lactase, qui permet de digérer le sucre du lait, le lactose, pourra faire son travail. C'est à ce niveau que les glucides résultant de la digestion (glucose, galactose ou fructose) vont être absorbés et passer dans le sang *via* des cellules appelées **les entérocytes**. Toutefois, certains glucides ne seront pas absorbés, soit parce que l'enzyme nécessaire à leur hydrolyse n'est pas présente (absence de lactase par exemple), soit parce qu'il s'agit de glucides non assimilables : les fibres. Ces dernières joueront un rôle important plus tard, une fois arrivées dans le côlon.

Les graisses, quant à elles, passeront par la lymphe puis seront transportées jusqu'au foie qui se chargera de leur utilisation. Les protéines, maintenant présentes sous forme de peptides et d'acides aminés, seront également absorbées ici et passeront dans le sang, en direction du foie. Mais la gliadine, elle, n'a pas été découpée correctement. Elle arrive quasiment intacte dans l'intestin grêle. Chez certaines personnes, du fait d'une prédisposition génétique ou de certaines conditions environnementales, la gliadine sera absorbée telle quelle[3]. Le passage de cette protéine « non digérée » à travers la paroi de l'intestin grêle est anormal. Dans certains cas, les conséquences sur la santé seront mineures. Dans d'autres, elles seront dramatiques.

Après l'intestin grêle, c'est **le côlon** qui va achever le travail. Il mesure environ 1,5 mètre de long et son rôle est de récupérer l'eau restante et d'absorber certains nutriments qui n'auraient pas pu l'être auparavant puis d'éliminer les résidus non absorbables. Pour cela, un grand nombre de bactéries sont présentes.

L'intestin, le champion des chambres d'hôtes

L'intestin abrite donc une flore bactérienne extrêmement riche et variée. On compte plus de 1 000 bactéries par millilitre au début de l'intestin grêle jusqu'à 1 000 milliards dans le côlon[4] si bien que 50 % de nos selles sont finalement constitués de bactéries. Ces simples bactéries, malgré leur taille minuscule, sont d'une importance fondamentale pour la santé, car elles nous protègent des dangers extérieurs, comme les bactéries pathogènes ou les polluants.

La flore intestinale normale est constituée de colonnies en équilibre et seul cet équilibre assure des fonctions optimales de l'intestin. Parfois cet équilibre est rompu, c'est le cas lorsque l'on prend des antibiotiques. Ces médicaments étant peu spécifiques, ils détruisent les bactéries pathogènes mais également celles qui habitent notre intestin, ce qui explique la plupart des troubles digestifs observés lors de ces traitements (nausées, diarrhées, ballonnements)[5]. Des études récentes ont démontré qu'un déséquilibre entre les différents types de bactéries de notre flore intestinale était impliqué dans de très nombreuses maladies : le surpoids et l'obésité[6] (parce que les bactéries intestinales permettent d'extraire les calories des aliments et certaines bactéries le feraient plus que d'autres[7]), la maladie de Crohn et la rectocolite ulcéro-hémorragique (RCUH)[8, 9], les allergies et l'eczéma[10, 11, 12], le diabète de type 1[13, 14], le syndrome du côlon irritable[15], la fibromyalgie[16], la spondylarthrite ankylosante[17, 18], la polyarthrite rhumatoïde[19], la schizophrénie[20, 21] et probablement la thyroïdite de Hashimoto[22] ou la sclérose en plaques[23, 24], sans oublier bien entendu toutes les intolérances alimentaires comme la maladie cœliaque[25, 26, 27, 28] (voir p. 63).

C'est pendant les premiers mois de la vie que notre flore intestinale se met en place. Elle va permettre l'installation de l'immunité acquise, par opposition à l'immunité innée. Les bactéries qui prennent place au niveau intestinal sont largement déterminées par l'environnement et varient donc d'un enfant à l'autre[29], elles proviennent principalement des bactéries fécales et vaginales de la mère (au moment de l'accouchement) ou des bactéries de l'hôpital et du personnel dans le cas d'une naissance par césarienne[30], de l'alimentation (les enfants nourris au lait maternel semblent avoir un système immunitaire plus performant que ceux nourris avec une formule artificielle à base de lait de vache[31, 32]). À l'âge de 1 an, la composition de la flore bactérienne est similaire à celle d'un adulte[33] et comporte environ 100 000 milliards de bactéries de plus de 1 000 espèces différentes[34]. À l'âge adulte, il est probable qu'une flore bactérienne résiliente soit établie définitivement, c'est-à-dire que certaines bactéries pourront varier en nombre, mais ne disparaîtront jamais complètement[35]. Les paramètres qui influent principalement la composition de la flore à l'âge adulte sont les suivants.

- L'acidité de l'estomac : si la production d'acide est perturbée, il est possible que des bactéries prolifèrent anormalement pour laisser la place à des bactéries pathogènes dangereuses.
- Les peptides antimicrobiens et les IgA sécrétoires : il s'agit respectivement de petites protéines et d'anticorps qui inhibent la prolifération bactérienne et empêchent les bactéries de se loger durablement dans l'intestin[36, 37, 38].
- Le transit intestinal : par un simple effet mécanique, la vitesse du transit régule la présence des bactéries. S'il est très ralenti, les bactéries pathogènes peuvent progresser dans l'intestin grêle jusqu'à engendrer des diarrhées, malabsorptions et une perte de poids[39].

- L'alimentation : les bactéries intestinales ont besoin d'énergie pour survivre ; cette énergie est apportée par les aliments. Chaque bactérie a son menu préféré : certaines fermentent les protéines alors que d'autres fermentent les glucides et les fibres. Une alimentation riche en blé ou en végétaux favorisera donc la présence d'un type de bactéries plutôt qu'un autre.

Vous l'aurez compris, c'est avant tout l'alimentation qui est responsable de l'état de notre flore intestinale et qui conditionne théoriquement notre état de santé. Mais est-ce vraiment l'alimentation qui est responsable de la flore ou est-ce la maladie qui provoque la prolifération de certaines bactéries ? Bien manger suffit-il à se prémunir des allergies, des maladies auto-immunes ou encore du diabète ? La réponse est venue avec l'essor de la recherche sur les bactéries intestinales : pour vérifier l'impact des bactéries sur notre santé, les chercheurs ont mis au point des gélules de bactéries destinées à prendre place dans l'intestin et ainsi moduler notre flore bactérienne. On appelle ces bactéries **les probiotiques**, aujourd'hui largement disponibles sous forme de compléments alimentaires. La recherche sur les probiotiques avance assez lentement et est loin d'être terminée en raison de la multitude de bactéries existantes : les analyser et les comprendre prend énormément de temps.

Lorsque les bactéries utilisées sont les bonnes, les résultats semblent pourtant prometteurs. En 2004, une équipe de chercheurs chinois démontrait qu'un apport en bactéries de type lactobacilles et bifidobactéries permettait d'empêcher l'infection par *Helicobacter Pylori*[40], cette fameuse bactérie responsable des ulcères. Utilisées en conjonction avec les antibiotiques, ces bactéries permettent aussi d'améliorer l'efficacité du traitement tout en limitant les effets secondaires[41]. En 2010, des chercheurs néo-zélandais ont réussi à diminuer les symptômes de l'eczéma de 50 % en administrant des probiotiques de souche *Lactobacillus rhamnosus* HN001 à des enfants avant l'âge de 2 ans[42]. Cette intervention précoce a permis de maintenir le bénéfice plus de quatre ans après l'arrêt de la prise de probiotiques, suggérant une implantation définitive de ces bonnes bactéries dans l'intestin. Dans les maladies inflammatoires chroniques de l'intestin (maladie de Crohn, rectocolite), une cause d'origine bactérienne est de plus en plus mise en avant, car il semble que certains antibiotiques soient efficaces pour lutter contre la maladie[43, 44]. Malheureusement, la résistance aux antibiotiques et les effets secondaires de ces médicaments ne permettent pas une utilisation au long cours et, de plus, l'utilisation de souches classiques de probiotiques semble inefficace. En 2008, ce sont des chercheurs français de l'Inserm et de l'Inra qui ont identifié une bactérie potentiellement protectrice dans la maladie de Crohn (*faecalibacterium prausnitzii*) insuffisamment présente chez les malades et dont l'utilisation sous forme de probiotiques pourrait s'avérer révolutionnaire[45]. À l'heure actuelle, les études les plus récentes mettent toutes en évidence l'implication d'une bactérie dans l'apparition des arthropathies comme la spondylarthrite ankylosante (SPA) ou la polyarthrite rhumatoïde (PR)[46]. Mais il s'agit de maladies auto-immunes, c'est-à-dire des maladies dans lesquelles le système immunitaire de l'organisme se retourne contre ses propres tissus. Pourquoi et comment une bactérie serait-elle responsable d'un tel événement? Nous allons voir que l'alimentation moderne et en particulier le blé n'y sont pas pour rien.

➤ Quand l'intestin se transforme en passoire

L'intestin grêle est une barrière de haute précision. Sa paroi permet le passage de macromolécules nécessaires à sa survie (les aliments issus de la digestion, l'eau, les minéraux), mais bloque l'entrée aux molécules indésirables comme les bactéries ou les molécules étrangères. Le passage des aliments dans le sang se fait de manière passive (diffusion) ou active au niveau des membranes des cellules de cette paroi, **les entérocytes**. Entre chaque entérocyte, il existe un espace dont le rôle est très important et qui s'appelle **la jonction serrée**. Cet espace a une fonction essentielle : il contrôle **la perméabilité de l'intestin**. Un système équivalent est présent au niveau du cerveau et constitue une partie de la barrière hématoencéphalique qui contrôle le passage des molécules vers le cerveau, un organe très fragile.

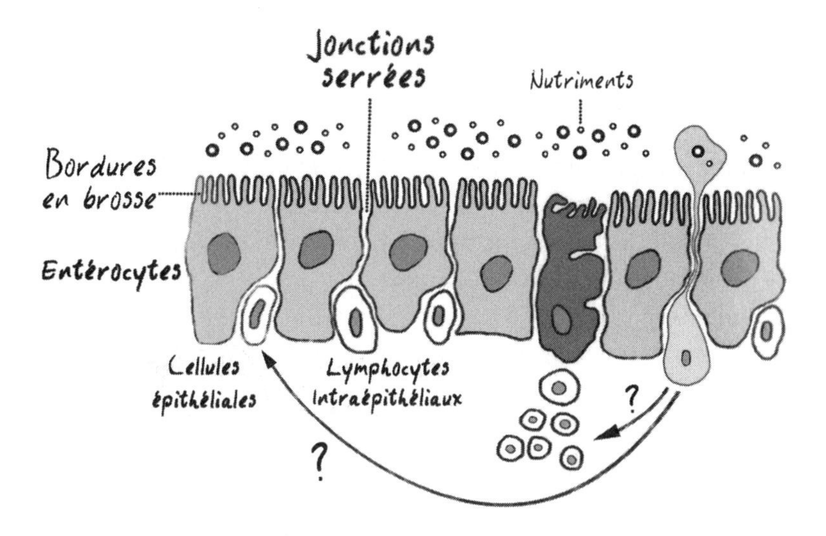

Malheureusement, ce contrôle de la perméabilité n'est pas parfait et il arrive que des macromolécules comme la gliadine du blé franchissent les jonctions serrées pour se retrouver dans le sang ou la lymphe. En immunologie, lorsqu'une macromolécule est détectée comme étant une molécule étrangère par notre système immunitaire, on parle d'**antigène**. Des anticorps sont alors produits par les lymphocytes B et T pour « marquer » le corps étranger puis le détruire, dans le cas d'une infection, ou pour déclencher une cascade de réactions inflammatoires dans le cas d'une allergie (responsable des symptômes allergiques). Il arrive que la structure de certains antigènes ressemble à d'autres structures retrouvées sur d'autres antigènes. Dans ce cas, le système immunitaire peut confondre le nouvel antigène avec l'ancien et déclencher la même réaction immunitaire ; on parle alors de réaction croisée. Par exemple, dans le cas des allergies saisonnières, les personnes allergiques aux pollens de bouleau sont fréquemment allergiques à la noisette, la pomme ou au céleri en raison de la présence de protéines aux structures similaires. Ces réactions ne sont pas systématiques et, dans ce genre d'allergies, rarement graves.

Mais que se passe-t-il si un antigène reconnu par notre système immunitaire ressemble à des protéines présentes naturellement dans notre organisme ? Eh bien là aussi il peut arriver que le système immunitaire se trompe et déclenche des réactions de défense.

Cet événement n'est pas rare et, si la réaction croisée a lieu, alors notre système immunitaire se retourne contre nos propres tissus et les attaque. C'est ainsi qu'apparaissent les maladies auto-immunes, famille dont font partie :

- la sclérose en plaques (le système immunitaire produit des anticorps dirigés contre la gaine de myéline des fibres nerveuses) ;
- la polyarthrite rhumatoïde (anticorps dirigés contre les peptides cycliques citrullinés, des peptides issus de la membrane synoviale qui entoure les articulations) ;

- la spondylarthrite ankylosante (production d'anticorps suspectée, des anticorps dirigés contre les enthèses, les zones d'insertion des ligaments sur les os mais anticorps non identifiés actuellement) ;
- la rectocolite ulcéro hémorragique (anticorps non identifiés) ;
- le diabète de type 1 (anticorps dirigés contre l'insuline et les cellules bêta des îlots de Langerhans du pancréas qui fabriquent l'insuline) ;
- ou la maladie cœliaque aussi appelée intolérance au gluten (anticorps dirigés contre les enzymes transglutaminases et l'endomysium qui est la gaine qui entoure les fibres musculaires).

Bien entendu, toutes ces maladies restent multifactorielles et les gènes jouent un rôle important en prédéterminant la sensibilité du système immunitaire face à certains antigènes (*via* ce qu'on appelle le système des antigènes de leucocytes humains ou HLA).

La perméabilité intestinale, sous le contrôle d'une hormone

La perméabilité de l'intestin dépend de nombreux facteurs. Elle est notamment régulée par une protéine, la zonuline, qu'on peut considérer comme une hormone et dont la découverte est très récente puisqu'elle date du début des années 1990. Ce sont les recherches menées sur les mécanismes d'action de la bactérie responsable du choléra, caractérisé par des diarrhées très sévères, qui ont permis sa découverte[47, 48]. La zonuline est fabriquée par la muqueuse intestinale. D'une manière générale cette hormone de même que les jonctions serrées sont la cible privilégiée des toxines produites par des bactéries pathogènes comme par exemple lors de gastro-entérite[49]. La zonuline régule

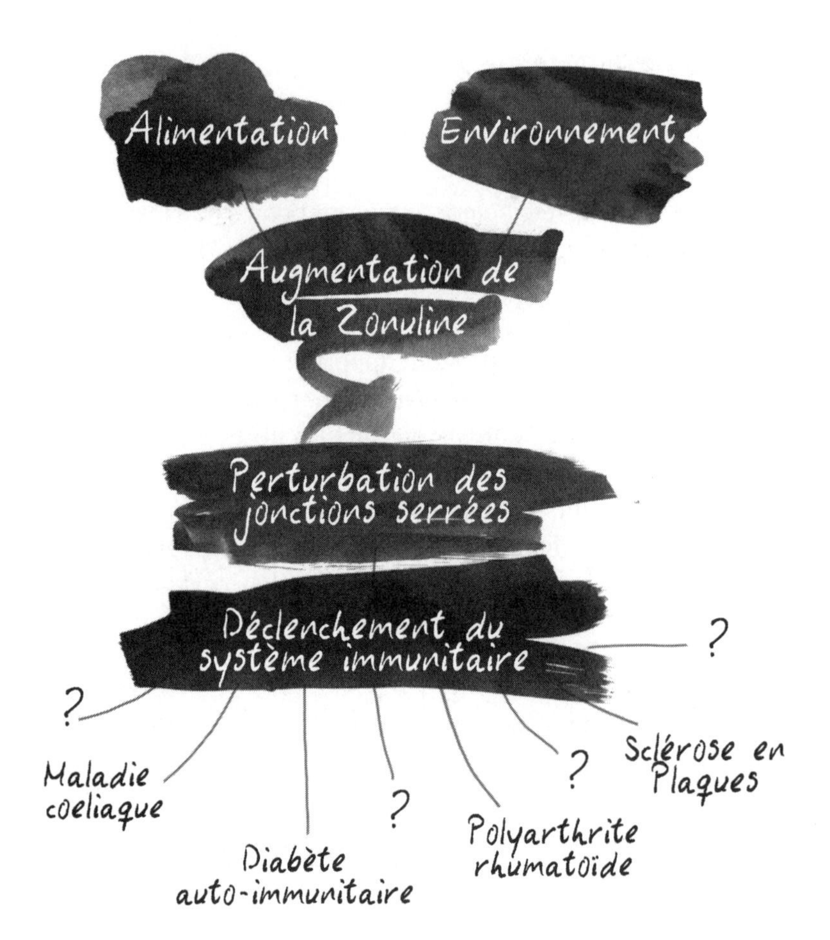

les mouvements de l'eau (lors d'une gastro-entérite, l'eau est attirée au niveau de l'intestin, ce qui provoque une diarrhée). Elle régule également le passage des molécules extérieures et des globules blancs de l'intestin vers le sang et celui des bactéries ; la zonuline nous protège ainsi d'une colonisation bactérienne (il s'agit d'une immunité innée, par opposition à l'immunité acquise)[50, 51]. Tout ceci montre que la perméabilité de l'intestin grêle est sous l'influence de la zonuline.

À l'heure actuelle, on ne connaît pas encore tous les facteurs capables de perturber la zonuline et donc d'augmenter la perméabilité intestinale. Il est probable que certains produits chimiques environnementaux comme les perturbateurs endocriniens ou les pesticides jouent un rôle non négligeable, mais l'alimentation semble le point le plus important étant donné la quantité de molécules que nous ingérons chaque jour volontairement. Au niveau alimentaire, peu d'études ont été menées, mais elles ont abouti à la conclusion que **l'aliment qui provoquait la plus forte production de zonuline est le blé moderne**[52, 53] chez les personnes atteintes de maladie cœliaque comme chez les personnes saines, et ce, quelle que soit la sensibilité génétique[54]. Bien que cela ne soit pas le thème central de cet ouvrage et que les recherches soient encore en cours, il est néanmoins important de connaître les facteurs aisément modifiables qui perturbent la production de zonuline ou augmentent directement notre perméabilité intestinale. On peut citer notamment la caséine[55, 56] (80 % des protéines du lait et des produits laitiers sont de la caséine), les pommes de terre[57], les piments[58,59], la tomate[60], les médicaments anti-inflammatoires non stéroïdiens (aspirine, ibuprofène par exemple)[61], la chimiothérapie anticancéreuse[62, 63], la radiothérapie[64, 65], le déficit en zinc[66] (un point important puisqu'il touche plus de 79 % des femmes d'après les études françaises[67]) et le déficit en vitamine D[68] (qui touche plus de 80 % des Français d'après la dernière étude de l'Institut national de veille sanitaire[69]).

Il existe également des facteurs protecteurs comme les acides gras oméga-3 à longues chaînes retrouvés dans le poisson[70, 71] ou comme certains probiotiques[72, 73]. Ceci laisse penser que les fibres alimentaires solubles (retrouvées en quantités dans tous les fruits et légumes) sont elles aussi protectrices, car elles sont fermentées par nos bonnes bactéries, en les « nourrissant » en quelque sorte, elles participent à la protection des jonctions serrées. En revanche le blé, et d'une manière générale les céréales complètes, sont plutôt une source de fibres insolubles peu fermentées.

Toutes les maladies dont je vais parler dans les chapitres suivants sont favorisées par un ensemble de facteurs environnementaux et génétiques. Or, lorsque l'on sélectionne les personnes génétiquement prédisposées, on constate que seulement 10 % d'entre elles environ développeront ces maladies[74], ce qui suggère le rôle colossal de l'environnement. Les progrès de la génétique ont été extraordinaires ces dernières années, mais ont trop souvent servi aux fatalistes pour justifier leurs prises de position : « c'est la génétique, on ne peut rien y faire », « j'ai une prédisposition, mes parents avaient déjà cette maladie ». Un tel déterminisme est aujourd'hui fortement remis en cause et a donné naissance à une nouvelle discipline qu'on appelle l'**épigénétique**. Son objectif est de découvrir et de décrire comment l'environnement active ou non l'expression de certains gènes. Par exemple, dans le cas de l'obésité, il a été démontré que c'est l'alimentation qui active les gènes du surpoids et que le déterminisme génétique est quasi nul[75, 76]. Concrètement, cela signifie qu'en agissant sur votre environnement, vous pourrez prévenir, mieux soigner et parfois guérir un grand nombre de maladies.

Pour bien comprendre comment le blé et certaines céréales peuvent nous rendre malades, nous allons nous intéresser à la maladie liée au blé la plus emblématique : la maladie cœliaque aussi appelée « intolérance au gluten ». Et ne croyez pas que ce chapitre ne vous concerne pas sous prétexte que vous n'êtes pas cœliaque : la prévalence de cette maladie ne cesse d'augmenter et son diagnostic n'est pas si simple. La maladie cœliaque peut passer inaperçue pendant des années et avoir de lourdes conséquences sur votre santé à long terme.

Chapitre 2

La maladie cœliaque : quand on ne tolère pas le gluten

La maladie cœliaque, également appelée **intolérance au gluten**, est une maladie grave dans laquelle le système immunitaire s'en prend à l'intestin grêle de personnes prédisposées génétiquement. Bien qu'on la considère souvent comme auto-immune, cette maladie n'est pas une maladie auto-immune à proprement parler.

La maladie est provoquée par l'ingestion de certaines protéines de la famille des **prolamines** qu'on retrouve dans de nombreuses céréales comme le blé (la prolamine du blé s'appelle la gliadine), l'épeautre (gliadine), le kamut (gliadine), le seigle (sécaline), l'orge (hordéine). On retrouve des prolamines dans d'autres céréales comme l'avoine (avénine), le maïs (zéine), le sorgho (cafirine), le riz (orzénine) ou le millet (panicine), mais ces dernières ne semblent pas toxiques bien qu'il existe une controverse importante pour ce qui est de l'avoine. Il est également probable que certaines personnes soient intolérantes à toutes les prolamines comme nous allons le voir plus loin.

Ce que l'on appelle communément **le gluten** est en fait un mélange de **prolamines** et de **gluténines**, deux familles de protéines. C'est la présence de gluten dans une farine qui la rend panifiable. C'est le gluten qui confère sa résistance et son élasticité à la pâte à pain[77, 78]. C'est lui qui permet à la pâte de lever *via* la fermentation puis au four. Ceci explique d'ailleurs pourquoi les personnes qui suivent un régime sans gluten ne peuvent plus manger de pain dès lors qu'il est à base de farine de blé, seigle ou orge.

Les gluténines sont également toxiques pour les malades cœliaques, mais à un moindre degré. Au total il y a plus de cinquante résidus protéiques du gluten qui sont identifiés comme toxiques pour les malades cœliaques[79].

Bien que la maladie cœliaque soit très ancienne et qu'elle suscite énormément de recherches, tous ses mécanismes ne sont pas compris à l'heure actuelle. Les recherches les plus récentes décrivent le mécanisme suivant : lors de la digestion, nos enzymes découpent les protéines en morceaux de petite taille ; dans le cas du gluten, cette découpe est incomplète et des fragments non digérés se retrouvent au niveau de l'intestin grêle. Pour des raisons inconnues, l'intestin voit sa perméabilité augmenter – il se peut que ce soit le gluten lui-même qui soit à l'origine de cette augmentation de la perméabilité –, si bien que des fragments passent au travers des jonctions serrées. Ces fragments rencontrent alors une enzyme appelée *transglutaminase tissulaire* 2 qui modifie légèrement leur structure. Ces nouvelles protéines ont un potentiel antigénique, c'est-à-dire que, chez des personnes prédisposées, elles vont provoquer une réaction immunitaire et déclencher la production d'anticorps : les malades cœliaques présentent des anticorps de type IgA dirigés contre la gliadine du gluten et contre la transglutaminase tissulaire 2. Cette réaction va provoquer une réponse inflammatoire qui aura pour conséquence la destruction progressive des villosités intestinales chargées de l'assimilation des aliments. La raison pour laquelle le système immunitaire passe d'une simple attaque envers la gliadine à une attaque envers la transglutaminase et l'intestin lui-même n'est pas encore comprise mais de nombreuses hypothèses sont soulevées.

À l'arrêt de la consommation de gluten, les anticorps disparaissent progressivement. Au terme de plusieurs mois, l'intestin cicatrise et le malade est en rémission. La présence de la moindre molécule de gluten dans l'organisme redéclenche l'attaque dirigée contre la muqueuse intestinale et donc la maladie[80].

Qui est prédisposé génétiquement à la maladie cœliaque ?

Plus de 90 % des malades cœliaques sont porteurs du groupe HLA-DQ2 ou HLA-DQ8[81]. Les molécules HLA sont situées à la surface des cellules et permettent l'identification des antigènes par le système immunitaire. Chez les porteurs de ces deux groupes HLA, le système immunitaire a tendance à considérer le gluten comme un antigène, ce qui favorise l'apparition de la maladie cœliaque. Néanmoins, il y a vraisemblablement d'autres facteurs déclencheurs, environnementaux ceux-là, car beaucoup des personnes qui possèdent cette sensibilité génétique ne développent pas forcément la maladie. Si on considère deux vrais jumeaux porteurs de ces groupes HLA, ils ont 80 % de chances d'être touchés par la maladie tous les deux[82]. Par ailleurs, en Algérie et en Tunisie, on observe dans la population des fréquences comparables de HLA-DQ2 et DQ8 et paradoxalement, la fréquence de l'intolérance au gluten est très élevée en Algérie, la plus élevée au monde (5,6 % de la population) alors qu'en Tunisie, elle est l'une des plus faibles (0,28 % de la population)[83]. Il existe par ailleurs plus de cinquante-sept gènes associés à la maladie cœliaque, sans lien avec les deux systèmes HLA mentionnés précédemment[84]. Toutes ces variantes ne confèrent à elles seules qu'un faible déterminisme dans la maladie. Même l'étude de familles largement touchées par la maladie a échoué à mettre en évidence un facteur génétique déterminant[85]. Ces résultats démontrent une fois de plus l'importance de l'environnement et de l'épigénétique.

La maladie cœliaque peut frapper à tout âge et la totale compréhension des mécanismes permettra sans doute un jour de mettre en évidence les facteurs environnementaux impliqués. Les facteurs plausibles selon les chercheurs sont :

- l'absence d'allaitement maternel[86, 87] (qui fragilise la barrière intestinale pendant la petite enfance) ; ou bien l'allaitement artificiel qui fragilise la barrière intestinale pendant la petite enfance ;
- la précocité de l'introduction du gluten dans l'alimentation[88] (les enfants exposés au gluten pendant les trois premiers mois de la vie ont cinq fois plus de risque de développer la maladie cœliaque comparativement aux enfants exposés après l'âge de 4 mois) ;
- une gastro-entérite par rotavirus[89].

Ces deux derniers facteurs ont un point commun : ils augmentent la perméabilité de l'intestin grêle.

Plus intéressant encore, selon des chercheurs, la maladie cœliaque ne serait pas une aberration de la nature, mais une sélection naturelle positive apparue il y a plus de 1 000 ans. En effet, il semble que les gènes mis en cause dans la maladie soient plus performants dans la lutte contre les infections intestinales et pourraient donc conférer un avantage en termes de survie[90]. Mais alors, et la Révolution verte dans tout cela ? Cette révolution a-t-elle été aussi bénéfique que ce que l'on croit ?

Jusqu'en 1970, la prévalence de la maladie cœliaque était de 0,03 % en moyenne[91]. Aujourd'hui, selon les études, la maladie est au bas mot deux à cinq fois plus fréquente[92, 93, 94, 95, 96]. Une équipe de chercheurs canadiens va même jusqu'à affirmer que cette prévalence aurait été multipliée par onze entre 1998 et 2007[97]. Une telle évolution est tout simplement hors du commun. Les études pour tenter de comprendre ces variations se sont intéressées aux infections bactériennes. D'autres ont testé l'hypothèse hygiéniste selon laquelle une exposition à un environnement trop aseptisé pendant l'enfance favoriserait l'apparition de dérèglements immunitaires. Malheureusement, aucune de ces hypothèses n'a pu être retenue, car elles n'expliquent pas pourquoi la maladie cœliaque est aussi fréquente chez les personnes âgées que chez les enfants.

Pour les chercheurs de la clinique Mayo, un établissement de soin américain parmi les plus réputés au monde, ce sont les mutations que l'homme a fait subir au blé qui sont seules capables d'expliquer la fréquence croissante de cette maladie depuis la Révolution verte[98].

➤ Les visages de la maladie cœliaque

La maladie cœliaque peut se manifester de plusieurs manières. Au début de l'année 2012, un groupe de travail réunissant des spécialistes de sept pays a classifié les différentes variations de la maladie en trois types[99].

- **La maladie cœliaque symptomatique** : elle se déclare le plus fréquemment dans l'enfance ou chez des femmes jeunes. Les symptômes sont fréquemment des troubles intestinaux ou des carences nutritionnelles – malabsorptions des micronutriments du fait de la destruction des villosités intestinales. Le déficit nutritionnel le plus fréquent est l'anémie par manque de fer, mais les déficits en vitamines B9, B12, E, K et en zinc sont aussi fréquents. Les diarrhées importantes peuvent entraîner une malabsorption des graisses et une perte de poids[100]. La maladie se traduit également souvent par des symptômes généraux ou le déclenchement d'autres maladies auto-immunes (voir plus loin p. 70) en raison d'un intestin poreux qui ressemble dorénavant plus à une passoire qu'à un filtre.

- **La maladie cœliaque asymptomatique** : comme dans le premier type, le système immunitaire produit des anticorps spécifiques de la maladie et l'intestin est attaqué, mais il y a peu ou pas de symptômes digestifs. Le risque est de voir la maladie évoluer vers d'autres maladies auto-immunes. À l'âge de 50 ans, 40 % des cœliaques asymptomatiques seront touchés par une autre maladie parce qu'ils auront ignoré leur maladie cœliaque. En 2008, des chercheurs de l'hôpital Saint-Antoine à Paris ont montré que certaines maladies auto-immunes touchaient particulièrement les malades cœliaques : il s'agit du diabète de type 1, de la thyroïdite de Hashimoto, du psoriasis et de la dermatite herpétiforme[101]. La maladie cœliaque pouvant être présente sans aucun symptôme digestif, un test de maladie cœliaque (voir p. 71) devrait être effectué systématiquement chez les personnes qui présentent une maladie auto-immune de ce type. Pourquoi ? Tout simplement parce que notre équipe française a également montré **qu'un régime sans gluten était protecteur**. Si un régime sans gluten n'est pas mis en place suffisamment tôt, le risque de cancer digestif serait augmenté d'environ 30 %[102].
- **La maladie cœliaque dormante ou latente** : on retrouve bien des anticorps dirigés contre la transglutaminase, mais aucune lésion au niveau de l'intestin et aucun symptôme digestif. Dans ce cas, il semble que l'organisme parvienne à contenir l'évolution de la maladie, mais pour combien de temps ? À ce stade, il semble tout de même préférable d'éviter le gluten, car le risque de développer des maladies auto-immunes augmente.

Vous l'avez compris, de plus en plus de personnes ont un problème avec le gluten. Notre bon pain a maintenant plutôt l'aspect d'un cheval de Troie, aux parfums flatteurs, mais pourvoyeur de protéines toxiques. Les chercheurs estiment qu'à mesure que la prévalence de l'intolérance au gluten augmente, les symptômes sont de moins en moins spécifiques donc de plus en plus généraux et diffus[103]. Sachant que seules 35 % des personnes souffrant de maladie cœliaque ont des diarrhées chroniques, quels sont les autres symptômes qui peuvent mettre sur la piste d'une maladie cœliaque ? Les symptômes généraux sont extrêmement larges : en tenant compte des données fournies par l'organisation mondiale de gastro-entérologie et les résultats de l'équipe du Pr Alessio Fasano (hôpital général du Massachusetts), considéré comme le spécialiste mondial de l'intolérance au gluten, on peut établir une liste de symptômes possibles et de maladies associées, fréquemment retrouvées.

- **Symptômes**
  Diarrhées chroniques
  Ballonnements
  Indigestions
  Anémie chronique par manque de fer
  Acidité gastrique/Reflux gastro-œsophagien
  Infertilité d'origine inconnue
  Fatigue chronique
  Côlon irritable
  Irritabilité
  Dépression/anxiété/attaques de panique
  Douleurs articulaires
  Fragilité osseuse
  Déficit chronique en vitamine B9 ou en vitamine B12

Maux de tête, migraine
Aphtes chroniques

- **Maladies associées**
  Dermatite herpétiforme
  Diabète type 1
  Thyroïdite auto-immune de Hashimoto
  Syndrome de Sjögren
  Maladie d'Addison
  Cardiomyopathies
  Arthrose
  Psoriasis
  Sclérose en plaques

J'ai toujours eu pour habitude de me méfier du miroir aux alouettes. L'élixir magique du Professeur Duchemol qui guérit la peste, le choléra et rend beau n'existe pas encore et celui qui croit pouvoir guérir toutes les maladies de ce siècle est un fou. Croire qu'en éliminant le gluten de son alimentation, on va pouvoir d'un coup d'un seul traiter toutes ces maladies peut paraître exagéré. Pourtant cette histoire n'est pas un conte, elle est bien réelle. Cet aliment si commun et si ancré dans notre vie est devenu un ennemi de l'intérieur et l'éviter pourrait probablement améliorer la qualité de vie de millions de Français. Vous allez voir que cette liste des maladies associées au gluten est loin d'être finie.

➤ Comment diagnostiquer la maladie cœliaque?

Il n'existe actuellement aucun marqueur fiable à 100 % qui permette d'affirmer avec certitude si oui ou non vous avez la maladie cœliaque : les tests sont fiables à 90 %[104, 105]. Pendant longtemps, on a considéré que seul le prélèvement et l'analyse d'un morceau d'intestin pouvait poser le diagnostic (biopsie duodénale). Actuellement, les recherches ne montrent pas de bénéfice supérieur de cette intervention par rapport à la prise de sang. De plus elle peut s'avérer faussement négative, nous l'avons expliqué.

Je conseille de procéder comme suit en faisant le dosage de quatre paramètres :

- **Les immunoglobulines A anti-transglutaminase tissulaire (IgA tTG)** : ces anticorps sont presque toujours présents et sont produits lors de la rencontre entre le système immunitaire et le gluten modifié par la transglutaminase 2. Ils sont très spécifiques de la maladie cœliaque et nécessaires à l'initiation de la destruction des villosités intestinales.
- **Les immunoglobulines A anti-endomysium (IgA EMA)** : l'endomysium est un tissu conjonctif qu'on retrouve au niveau des muscles et qui exprime la transglutaminase. Il est donc une cible des anticorps dans la maladie cœliaque.
- **Les immunoglobulines A anti-gliadine (IgA AGA)** : ces anticorps ne sont pas spécifiques de la maladie cœliaque, mais signent une réaction immunitaire de l'organisme contre la gliadine, la prolamine du blé. Ils sont importants dans de nombreuses maladies associées comme nous le verrons plus loin.
- **Les immunoglobulines A sériques (IgA totaux)** : un des rôles des IgA est de protéger les muqueuses des infections. Or les personnes qui possèdent HLA-DQ2 ont fréquemment un déficit en IgA. Lorsque c'est le cas, les dosages d'IgA tTG, d'IgA EMA et d'IgA AGA sont faussés et il faudra alors doser

les immunoglobulines G (IgG tTg, IgG EMA et IgG AGA) qui sont plus élevées chez les personnes déficitaires en IgA[106].

À noter toutefois qu'aucun de ces tests n'a de sens si vous avez déjà pris l'initiative de supprimer le gluten de votre alimentation. Il faudra le réintroduire pendant quelques semaines avant de faire les tests.

Chapitre 3
La sensibilité au gluten

Jusqu'à aujourd'hui, la vision de l'intolérance au gluten était sans nuance : soit vous aviez la maladie cœliaque soit vous ne l'aviez pas. Et donc soit le gluten vous était strictement interdit soit vous pouviez ingurgiter pâtes et pain sans aucune crainte. Si vous allez voir votre médecin en lui expliquant que le gluten vous ballonne, vous constipe, vous donne mal au dos ou mal à la tête et qu'ensuite le test de la maladie cœliaque s'avère négatif, il vous expliquera que vous vous faites des idées, que cela n'a rien à voir et que vous devriez prendre des vacances pour penser à autre chose. Eh bien votre médecin se trompe... Et comme beaucoup d'autres, Dorian (voir p. 13) en a fait les frais.

➤ La maladie cœliaque : la partie immergée de l'iceberg

La maladie cœliaque n'est qu'une forme d'intolérance au gluten. Il existe une autre forme, plus perfide encore que la maladie cœliaque, car on ne retrouve chez les malades ni lésions intestinales ni anticorps, ce qui lui permet de passer totalement inaperçue aux yeux du médecin.

Cette maladie s'appelle **la sensibilité au gluten** et c'est la maladie dont a été victime Dorian à la suite de ses vacances en Grèce.

La sensibilité au gluten se caractérise par la présence de symptômes liés à l'ingestion de gluten, pratiquement les mêmes que ceux retrouvés dans la maladie cœliaque : diarrhées chroniques, ballonnements, indigestion, acidité gastrique/reflux gastro-œsophagien, fatigue chronique, syndrome du « côlon irritable », irritabilité, dépression/anxiété/attaques de panique, douleurs articulaires, fragilité osseuse, maux de tête, migraines, aphtes chroniques, pour ne citer que les principaux.

Les symptômes de la sensibilité sont les mêmes que ceux de l'intolérance, à l'exception des complications (maladies auto-immunes, cancers, etc.) et peuvent conduire le médecin à des erreurs de diagnostic – son diagnostic peut s'orienter vers une « fibromyalgie », une « spasmophilie » ou pire.

Les mécanismes à l'origine des symptômes de la sensibilité au gluten n'ont pas été élucidés, mais la réalité de cette condition a été démontrée dans plusieurs études et notamment une menée en 2011 par une équipe de chercheurs australiens[107].

Pour cette étude, les chercheurs en gastro-entérologie de l'université de Monash, la plus grande université d'Australie, ont recruté trente-quatre adultes âgés de 29 à 59 ans qui présentaient des symptômes suggérant une maladie cœliaque : douleurs abdominales, ballonnements, troubles du transit, fatigue, etc. En revanche tous les tests de dépistage de la maladie cœliaque étaient négatifs. Les participants ont ensuite été divisés en deux groupes : chacun s'est vu prescrire un nouveau régime alimentaire exempt de gluten, accompagné soit de deux tranches de pain et d'un muffin à base de blé soit de deux tranches de pain et d'un muffin sans gluten. Au bout de seulement une semaine de suivi, les chercheurs ont constaté une différence significative entre les deux groupes : les personnes qui ne consommaient plus de gluten du tout avaient moins de troubles digestifs, moins de douleurs et moins de fatigue et ce, en l'absence de toute anomalie visible du système immunitaire. Ils concluent alors que la sensibilité au gluten est une maladie réelle mais dont le mécanisme biologique n'est pas compris.

Dans la sensibilité au gluten, il semble en fait que ce soit **l'immunité innée** qui s'active pendant la digestion pour empêcher le gluten d'agir de manière néfaste au niveau des jonctions serrées. Cette réaction immunitaire provoque alors des symptômes digestifs (douleurs, ballonnements et fatigue)[108, 109]. Beaucoup plus fréquente que la maladie cœliaque, la sensibilité au gluten toucheraient au moins 10 % des Français soit plus de 6,6 millions de personnes[110, 111, 112].

Pour diagnostiquer une sensibilité au gluten, le seul moyen à l'heure actuelle consiste en l'éviction totale du blé et des céréales qui contiennent du gluten. Si les symptômes s'estompent en quelques jours ou quelques semaines lorsque la personne élimine totalement le gluten de son alimentation et que les tests de la maladie cœliaque sont négatifs, alors on peut affirmer qu'elle est sensible au gluten.

➤ Faut-il supprimer le gluten quand on est bien-portant ?

Si vous n'êtes touché par aucun des symptômes que nous venons de décrire et si tous les tests de maladie cœliaque s'avèrent négatifs, sachez ceci : peu d'études ont été menées sur des individus en bonne santé pour examiner l'impact d'une alimentation sans gluten (toujours majoritairement issu de notre blé moderne) sur la santé, mais l'une d'elles a suivi dix adultes en bonne santé âgés de 30 ans en moyenne pendant un mois. Elle a montré une importante diminution de la production de cytokines pro-inflammatoires dans l'intestin ; autrement dit le système immunitaire semble « plus calme et plus serein » en l'absence de gluten[113], ce qui est probablement bénéfique pour la santé en général. De plus, la gliadine du blé n'est pas correctement digérée même chez les personnes en bonne santé[114] et augmente notre production de zonuline, ce qui rend l'intestin plus perméable. Si d'autres facteurs environnementaux sont réunis (sensibilité génétique du groupe HLA, infection bactérienne), le risque existe de développer un jour une maladie cœliaque, une maladie auto-immune ou l'une des autres maladies dont nous allons parler plus loin...

En résumé

Allergie au gluten

Cette maladie rare n'est pas développée ici. Elle est caractérisée par une réaction allergique rapide et manifeste parfois grave : rougeurs, œdème, démangeaisons, choc anaphylactique pouvant entraîner la mort.

Intolérance au gluten

Aussi appelée « maladie cœliaque », l'intolérance au gluten est une maladie dans laquelle l'ingestion de gluten provoque une réaction en chaîne qui aboutit à la production d'anticorps qui détruisent notre intestin. Elle peut conduire à l'apparition de maladies auto-immunes.

Sensibilité au gluten

Aussi appelée « hypersensibilité au gluten », la sensibilité au gluten est une maladie dans laquelle l'ingestion de gluten provoque des symptômes proches de ceux de l'intolérance au gluten mais par un mécanisme différent. Elle ne conduit pas à l'apparition de maladies auto-immunes.

Chapitre 4
Côlon irritable, le nouveau bouc émissaire

Qui n'est jamais allé chez le médecin pour un problème digestif ? « *Docteur, j'ai mal au ventre depuis quelque temps. Je suis constipée et chaque fois que je mange, mon intestin gonfle comme une baudruche.* » Voilà en substance ce que 10 à 15 % des Français ont pu dire à leur médecin traitant[115, 116, 117]. Devant la plainte et la gêne décrites dans son cabinet, le médecin ne veut rien laisser au hasard : hop, bilan général ! Prises de sang, coloscopie, analyse des selles. Résultat : rien. Tout est négatif : pas de maladie cœliaque, pas de problème de thyroïde, tout est en ordre. Pour le médecin, tout devient clair et le diagnostic tombe : c'est le côlon irritable, une hypersensibilité intestinale qui serait provoquée par le stress.

« Vous êtes stressée en ce moment ?

- Oui plutôt vous savez entre mon mari, les enfants et le travail ce n'est pas facile.

- Je vois, je vais vous prescrire un petit anxiolytique. »

Mais de nos jours qui n'est pas stressé ? Tout le monde a une vie stressante et pourtant nous sommes loin d'avoir tous des problèmes de côlon.

Côlon irritable : faux diagnostic ?

Médicalement parlant, le « côlon irritable » est ce que j'appelle un « faux diagnostic », il est posé conformément aux critères « Rome III » mis au point par un consortium mondial de gastro-entérologues réputés : *présence d'une douleur ou d'un inconfort abdominal perdurant au moins douze semaines au cours des douze derniers mois et qui est soulagée au moment de la défécation, associée à un changement dans la fréquence de la défécation (constipation, diarrhée ou alternance des deux) et associée à un changement anormal de la consistance des selles (trop solides ou trop molles)*. À partir de là on différencie le côlon irritable de type C (constipation prédominante), D (diarrhée) ou M (alternance des deux). En réalité le « côlon irritable » est avant tout un diagnostic d'exclusion : on ne sait pas ce qui cloche, mais il semble n'y avoir rien de grave alors on met un mot sur les symptômes, on ajoute un bouc émissaire (le stress) et on vous explique ensuite qu'il n'y a pas de traitement.

Mais, ce qui m'a toujours étonné, c'est que l'on passe sous silence un point important des maladies causées par le stress. Exemple avec la dépression : dans des conditions de stress environnemental (harcèlement physique ou moral par exemple), vous finirez par devenir dépressif à un moment ou à un autre, peu importe votre degré de résistance et votre courage. Mais lorsqu'on supprime ce stress et qu'on suit une thérapie, l'état de santé s'améliore et on finit par guérir.

Dans le cas du côlon irritable, ni la psychothérapie, ni les thérapies cognitives[118] ni les médicaments antidépresseurs[119] ou anxiolytiques ne sont capables de guérir la maladie. Tout au mieux peuvent-ils aider à mieux vivre les symptômes ou à les diminuer (un effet secondaire de certains antidépresseurs est par exemple d'accélérer le transit, ce qui est utile pour les personnes souffrant du type C). D'autres thérapies alternatives

améliorent les symptômes : acupuncture[120], huile essentielle de menthe[121], certaines plantes. De plus, lorsqu'elles échappent au stress de la vie quotidienne (par exemple en vacances), les personnes touchées par cette maladie déclarent avoir moins de symptômes, mais ne guérissent pas pour autant. Récapitulons : la maladie n'a pas de traitement véritablement efficace et peut être déclenchée ou aggravée par le stress. Mais toutes les maladies peuvent être déclenchées ou aggravées par le stress ! Les maladies auto-immunes[122], les maladies cardio-vasculaires[123], les infections, l'asthme[124], le rhume, le psoriasis, l'eczéma, la dermatite atopique[125, 126], peut-être l'évolution du cancer (mais pas son déclenchement)[127], la sclérose en plaques[128], les allergies[129] et j'en passe[130, 131]. Tout cela ne fait pas pour autant du stress la cause des maladies, mais simplement un facteur environnemental à prendre en compte.

Cela fait maintenant plus de vingt ans qu'un lien entre l'intestin et le système nerveux a été mis en évidence[132], notamment depuis que l'on sait que des neurotransmetteurs (ou messagers chimiques) sont produits au niveau intestinal, exactement les mêmes que ceux produits dans le cerveau, qui sont les vecteurs de nos émotions. Il existe aujourd'hui des preuves sérieuses qu'un intestin en mauvais état augmente la vulnérabilité aux stress et que le stress en retour fragilise l'intestin et augmente sa perméabilité[133] expliquant dès lors la prévalence particulièrement élevée de la dépression ou des troubles anxieux chez les personnes atteintes du côlon irritable, atteignant jusqu'à 75 % dans certaines études[134, 135].

➤ Et si le côlon irritable cachait en réalité une sensibilité au gluten ?

En août 2012, un groupe de travail constitué de chercheurs de l'Inserm à Rouen et de chercheurs argentins a pu mettre en évidence pour la première fois l'existence d'une activation anormale du système immunitaire dans le syndrome du côlon irritable. Les chercheurs ont également observé une perméabilité intestinale anormalement augmentée, une légère inflammation chronique dans l'intestin et une flore bactérienne altérée[136, 137]. Hasard ou non, le « côlon irritable » fait aussi partie des symptômes les plus fréquemment rencontrés chez les personnes sensibles au gluten et les malades cœliaques touchant près de 40 % des intolérants[138].

➤ Quand on supprime le gluten, les symptômes s'améliorent

Le corps médical oublie fréquemment d'expliquer aux gens comment la flore intestinale se développe et s'entretient : les bactéries se nourrissent de nos résidus alimentaires qu'elles fermentent. Des alimentations différentes ne vont pas favoriser la croissance des mêmes bactéries. C'est ainsi qu'en 2011, au lieu de donner des probiotiques dont l'efficacité est modérée dans cette maladie[139, 140], les chercheurs de l'université de Monasch en Australie ont testé dans une étude en double-aveugle l'effet d'un régime sans gluten sur des personnes souffrant du syndrome de côlon irritable. Ils ont constaté une amélioration très importante des symptômes et mis en évidence du même coup la réalité de la sensibilité au gluten. Selon Jessica Biesiekerski (hôpital Box Hill, Melbourne) qui a dirigé l'étude, au moins 15 % de la population serait sensible au gluten sans le savoir.

Dans une autre étude menée en Allemagne avec des personnes diagnostiquées « côlon irritable », les résultats sont comparables. Toutefois les chercheurs ont découvert que 37 % des malades étaient en réalité atteints de maladie cœliaque, ce qui montre que les erreurs de diagnostic sont fréquentes et interviennent dans plus d'un tiers des cas[141].

Depuis, d'autres équipes ont également conclu à l'existence fréquente d'une sensibilité au gluten dans le syndrome du côlon irritable[142, 143]. Et cette sensibilité au gluten s'accompagne souvent d'une hypersensibilité aux protéines laitières. Là encore, le fait de supprimer tous les produits laitiers permet de faire régresser les symptômes chez bon nombre de personnes[144].

➤ Rémission mais pas guérison

Même si les résultats obtenus par la suppression du gluten (et parfois des protéines de lait) sont spectaculaires et le plus souvent suffisants pour vivre à nouveau normalement sans angoisse ni stress, aucune étude ne fait état d'une rémission totale.

J'en reviens à ma mère (lire p. 7). Souvenez-vous : en adoptant une alimentation sans gluten ni laitage, elle avait réussi à atténuer considérablement les symptômes du côlon irritable mais sans les faire disparaître totalement. Jusqu'à ce que je lui suggère de faire l'essai de ne consommer que des fruits et légumes biologiques en lieu et place de ceux achetés dans la filière traditionnelle. Depuis ce changement, la rémission est totale et son côlon irritable n'est plus qu'un lointain souvenir. Toutefois, dès que du gluten, du lait ou des fruits et légumes contenant des résidus de pesticides sont introduits dans son alimentation, volontairement ou à son insu, les symptômes réapparaissent.

J'émets donc l'hypothèse que certains résidus de pesticides pourraient stimuler l'immunité innée au niveau de l'intestin, induire une inflammation chronique à bas bruit et perturber la sensibilité viscérale. Ceci n'a bien entendu pas valeur de preuve scientifique, mais un grand nombre de personnes qui ont effectué les mêmes changements alimentaires – à savoir passer des fruits et légumes issus de l'agriculture conventionnelle à ceux issus de l'agriculture biologique – ont connu le même succès.

De plus, de telles études d'intervention sur l'impact d'aliments biologiques ou conventionnels sur le côlon irritable ont peu de chances de voir le jour avant longtemps étant donné que certains se tirent encore sur les mèches des cheveux pour savoir si la tomate bio contient bien 0,008 % de lycopène de plus que la tomate conventionnelle.

Chapitre 5
Maladie de Crohn et rectocolite, quand l'intestin déraille

Vous vous souvenez de votre dernière gastro-entérite ? Celle qui vous a fait courir aux toilettes dix fois par jour pendant deux jours ? Cela fait partie des souvenris qu'on préférerait oublier mais, pour certains, il s'agit du quotidien. C'est ce qui se passe lorsqu'on est touché par la maladie de Crohn ou la rectocolite hémorragique (communément appelée rectocolite ou RCH), deux maladies inflammatoires chroniques de l'intestin, considérées comme incurables.

La différence principale entre ces deux pathologies réside dans la localisation des lésions : alors que la maladie de Crohn peut toucher la totalité du système digestif (de la bouche au rectum), la RCH, elle, est localisée au rectum et parfois au côlon. Les symptômes sont globalement comparables : diarrhées, douleurs abdominales, perte de poids, parfois vomissements et pertes de sang. Bien que ces deux maladies n'augmentent que très légèrement la mortalité, leur impact sur la qualité de vie est considérable : imaginez un peu la vie avec une gastro latente et chronique.

Des maladies auto-immunes

Ces deux maladies inflammatoires de l'intestin sont considérées comme des maladies auto-immunes, mais leur cause exacte et les mécanismes d'apparition de la maladie sont encore inconnus. Néanmoins certains points sont très troublants.

- Ces deux maladies touchent particulièrement les malades cœliaques (elles sont soixante-huit fois plus fréquentes dans cette population que chez les personnes en bonne santé)[145, 146], à tel point que, pour des chercheurs italiens, toute personne ayant eu un diagnostic de maladie de Crohn devrait commencer un régime sans gluten[147] pour diminuer les symptômes.

- En mai 2011, des chercheurs du service de gastro-entérologie de l'hôpital Saint-Antoine à Paris ont réalisé un historique de ces deux maladies inflammatoires : il apparaît que leur incidence a considérablement augmenté au cours des cinquante dernières années et que cette augmentation est concomitante à celle de la maladie cœliaque, coïncidant avec l'apparition des nouveaux blés mutés dans l'alimentation[148]. Les chercheurs soulignent donc l'importance de l'environnement dans le déclenchement de la maladie de Crohn, son influence étant bien supérieure aux facteurs génétiques.

- Début 2011, une équipe de chercheurs canadiens, américains et néerlandais a tenté d'identifier les gènes impliqués dans la maladie de Crohn. Ils ont découvert qu'au moins quatre emplacements chromosomiques associés à la maladie cœliaque étaient également associés à la maladie de Crohn[149], confirmant encore un lien étroit entre les deux maladies. Cette hypothèse semble également valable pour la RCH avec un dysfonctionnement des jonctions serrées comparable à celui retrouvé dans la maladie cœliaque[150].

- Pour finir, de nombreuses études ont démontré une altération de la flore bactérienne intestinale lors de la maladie de Crohn et la rectocolite avec une diminution du nombre de bacteroidetes et une augmentation du nombre de firmicutes, à l'exception des protéobactéries, les deux familles bactériennes les plus représentées au niveau intestinal[151, 152].

Plus récemment, en avril 2012, des chercheurs de Harvard ont démontré que l'évolution de la maladie de Crohn était fortement corrélée à la composition de la flore bactérienne intestinale[153].

➤ Ce qui se passe quand on change d'alimentation

Très peu d'études se sont intéressées à l'impact d'un changement alimentaire dans le traitement de la maladie de Crohn. L'une d'elles a été publiée dans la très sérieuse et prestigieuse revue médicale *The Lancet* en 1993. Dans cette étude, les malades qui ont supprimé de leur alimentation les céréales, les produits laitiers et les levures[154] ont connu une rémission qui a duré deux fois plus longtemps que celle obtenue par un traitement à base de corticostéroïdes – des anti-inflammatoires puissants aux effets secondaires non négligeables (prise de poids, hypertension, troubles psychologiques, risque augmenté de diabète et d'ostéoporose, etc.)[155]. Il est donc probable qu'une réaction immunitaire croisée comme celle observée dans la maladie cœliaque soit en cause dans cette maladie intestinale.

Aucune étude n'a examiné l'impact d'une alimentation sans gluten sur l'évolution de la rectocolite et les données actuelles laissent penser que d'autres facteurs entrent en jeu, notamment le renforcement des villosités intestinales vis-à-vis de l'inflammation. Il semble donc utile de bien choisir ses apports en graisses alimentaires (notamment en supprimant les fritures), de consommer des fruits et légumes cuits et de limiter l'apport en fibres insolubles (céréales complètes, légumineuses)[156, 157].

Dans chacune de ces études, les chercheurs évoquent la difficulté qu'ont les malades à changer d'alimentation et adopter de nouvelles habitudes alimentaires[158]. C'est vrai, manger sans gluten et sans lait peut paraître très contraignant de prime abord mais, avec un bon guide, la transition peut se faire sans grande complication. À la p. 143, j'ai rassemblé quelques points importants pour réussir ce changement alimentaire.

N'oubliez pas que la moindre protéine de gluten ingérée (y compris à l'état de trace) peut réactiver la maladie de Crohn. Cette nouvelle alimentation sans gluten (éventuellement sans laitages) devra être suivie à vie.

À noter que la maladie de Crohn se complique fréquemment de problèmes de santé plus généraux, en particulier au niveau articulaire. Les malades de Crohn ont en effet un risque augmenté de développer la spondylarthrite ankylosante[159, 160, 161], une pathologie invalidante.

Chapitre 6
Comment le blé détruit nos articulations

La toxicité du blé est impliquée dans de nombreuses maladies qui touchent les articulations : la spondylarthrite ankylosante, la polyarthrite rhumatoïde et même l'arthrose.

➤ La spondylarthrite ankylosante

Je ne suis pas un grand fan de tennis. Non pas que je n'aime pas regarder ce sport, mais plutôt parce que ma capacité à manier la raquette provoque plus de fous rires que de coups gagnants. En revanche je prends souvent plaisir à regarder les matchs diffusés à la télévision, en particulier lorsqu'ils sont présentés par la charmante Tatiana Golovin, une joueuse de tennis russe, aujourd'hui consultante pour une chaîne publique. En octobre 2009, Tatiana se confiait au quotidien L'*Équipe* et évoquait la maladie qui la touche, la spondylarthrite ankylosante : « *J'essaie de rester positive. Apprendre ma maladie fut un gros choc, mais maintenant, je sais ce que j'ai, et ce que j'ai,* ***on n'en guérit pas****. Il y a des soins, des thérapies assez lourdes à suivre. Ai-je des chances de rejouer ? Ce n'est pas conseillé, mais je suis encore jeune. Les douleurs peuvent tout d'un coup disparaître… Ou pas.* ***Il faut vivre avec ça****. Ça ne sert à rien* *d'annoncer*: "Je prends ma retraite." *Parce que, au fond de moi, je reste toujours joueuse de tennis. Dès que je vois une raquette, une balle de tennis, c'est moi !* » Tatiana Golovin, 21 ans à l'époque, douzième rang mondial en 2008, doit raccrocher sa raquette : elle ne peut plus jouer au tennis à cause de la maladie. Plus jamais ? Rien n'est moins sûr...

La spondylarthrite ankylosante (SPA) est une maladie chronique incurable qui se manifeste par des douleurs articulaires principalement au niveau de la colonne vertébrale et du bassin avec une ankylose progressive pouvant aller jusqu'à la soudure de certaines vertèbres. Ses causes exactes sont inconnues, mais on constate que 90 à 95 % des malades sont porteurs du groupe HLA-B27 (lire p. 65)[162], ce qui signe un rôle fondamental du système immunitaire dans la maladie. Mais, là encore, il n'y a pas de fatalité génétique puisque parmi les porteurs du groupe HLA-B27, seuls 5 % développeront la SPA[163].

Des études menées en laboratoire sur des rats ont démontré que la maladie ne pouvait pas apparaître dans un environnement stérile[164], soulignant le rôle primordial de l'environnement dans le déclenchement de cette pathologie. De plus, il a été montré que plus de 50 % des personnes victimes de SPA présentent des lésions microscopiques au niveau intestinal comparables à celles retrouvées dans la maladie de Crohn[165]. Autrement dit, chez elles, l'intestin est devenu perméable et selon des chercheurs turcs, c'est bien le blé qui serait à blâmer puisque bon nombre de malades possèdent des anticorps dirigés contre la gliadine, la prolamine la plus toxique de cette céréale[166].

Actuellement, l'hypothèse la plus plausible pour comprendre cette maladie est la suivante : à la suite d'une infection bactérienne[167] et dans un contexte de perméabilité intestinale augmentée par l'alimentation, des bactéries, des résidus bactériens ou alimentaires vont franchir les jonctions serrées. De là, ces molécules étrangères vont être reconnues par le système immunitaire qui va lancer une attaque pour les détruire. Malheureusement, chez les personnes qui possèdent le groupe HLA-B27, une réaction croisée va avoir lieu avec des protéines de structure du cartilage, déclenchant ainsi de manière irréversible la SPA[168, 169, 170, 171]. Agir au niveau du système immunitaire et contre l'inflammation est certes efficace mais on n'agit nullement sur l'origine du problème : la perméabilité intestinale.

Pourtant, très peu d'études ont examiné l'impact de l'alimentation dans le traitement de la SPA bien que de nombreux malades rapportent une rémission totale avec la mise en place d'un régime sans gluten ni laitages similaire à celui conseillé pour la maladie de Crohn. En 1996, des chercheurs londoniens ont publié un article faisant état d'une amélioration significative de la SPA avec l'adoption d'une alimentation pauvre en amidon (céréales, tubercules)[172]. Il est probable qu'une alimentation de ce type permette de limiter la prolifération des bactéries pathogènes à l'origine de la réaction immunitaire, tout en renforçant la perméabilité intestinale.

➤ La polyarthrite rhumatoïde

La polyarthrite rhumatoïde (PR) est le rhumatisme inflammatoire le plus répandu. Elle est caractérisée par une inflammation de plusieurs articulations qui enflent, deviennent douloureuses, de moins en moins mobiles et peuvent finir par être le siège de déformations sévères. La maladie touche dans un premier temps les petites articulations comme celles des mains, poignets, genoux et des pieds puis atteint plus tardivement les épaules, coudes, etc. La PR est une maladie incurable auto-immune, c'est-à-dire dans laquelle le système immunitaire se retourne contre ses propres tissus. La plupart des personnes atteintes possèdent le groupe HLA-DR1 ou HLA-DR4 mais d'autres facteurs génétiques[173] interviennent vraisemblablement. On retrouve chez les malades presque toujours des anticorps dirigés contre les peptides cycliques citrullinés[174, 175] et la présence d'un facteur auto-immunitaire appelé « facteur rhumatoïde »[176, 177].

Les peptides cycliques citrullinés résultent de la dégradation de la synoviale, la membrane qui entoure les articulations. Ils ont un potentiel antigénique, ce qui signifie qu'ils déclenchent la fabrication d'anticorps assez spécifiques de la polyarthrite rhumatoïde. Ils aident ainsi au diagnostic de cette maladie.

Il n'est pas rare que la maladie s'accompagne d'une autre maladie auto-immune comme le syndrome de Gougerot-Sjögren (syndrome des yeux secs) ou d'une inflammation sévère touchant les poumons, le cœur ou les yeux.

L'arsenal thérapeutique pour lutter contre la maladie est vaste et va des médicaments anti-inflammatoires et antidouleurs aux médicaments qui modifient le fonctionnement du système immunitaire (Remicade®, Humira®).

Ce qui est extraordinaire, c'est qu'il est parfois difficile de savoir si les troubles secondaires observés (inflammation des poumons, ostéoporose) sont la conséquence de l'évolution de la maladie ou s'il s'agit des effets secondaires des médicaments.

Quelle solution pour les polyarthritiques?

Tout d'abord, il faut savoir qu'il n'y a pas de fatalisme : le déterminisme génétique dans cette maladie serait au maximum de 37 %[178], ce qui laisse une responsabilité importante aux facteurs environnementaux. Le tabagisme par exemple. Les fumeurs auraient jusqu'à trois fois plus de risques de développer la maladie comparativement aux non-fumeurs[179]. Inversement, une consommation régulière d'alcool à dose modérée serait protectrice[180]. Plus important encore, l'intestin et la flore qu'il abrite semblent jouer un rôle déterminant dans la maladie : les modèles animaux ont pu montrer que l'équilibre entre les différentes bactéries intestinales peut tantôt être protecteur, tantôt favoriser l'apparition de la maladie[181].

Mais puisque l'on sait que c'est l'alimentation qui module le plus efficacement notre flore bactérienne intestinale, on peut s'interroger sur le rôle joué par le blé dans la PR...

Aussi surprenant que cela puisse paraître, un grand nombre d'études a mis en évidence des signes d'une intolérance aux protéines du blé chez les polyarthritiques. Pourtant personne n'en parle. Même lorsque la biopsie intestinale ne montre pas de maladie cœliaque symptomatique, il semble que beaucoup de personnes atteintes de polyarthrite rhumatoïde aient des anticorps dirigés contre la gliadine du blé ou contre la transglutaminase tissulaire[182, 183, 184].

Dès les années 1990, des chercheurs norvégiens ont testé l'impact d'une alimentation sans gluten dans la polyarthrite rhumatoïde. Après un jeûne initial d'une semaine, vingt-sept malades ont suivi un régime végétarien sans gluten pendant une période de trois mois et demi. Dès la quatrième semaine, l'alimentation sans gluten a permis une diminution des douleurs, des raideurs et des marqueurs inflammatoires. Même après l'arrêt du régime (reprise d'une alimentation normale comprenant du gluten), un bénéfice est perceptible un an plus tard alors qu'aucun bénéfice n'est observé dans le groupe qui a continué à manger du gluten[185, 186] pendant l'étude. En 2008, des chercheurs suédois ont répété l'expérience en suivant soixante-six malades : trente-huit ont suivi un régime végétarien sans gluten pendant un an et les vingt-huit autres une alimentation omnivore avec du gluten. Dès trois mois, l'activité de la maladie a diminué significativement dans le groupe sans gluten. L'amélioration est encore plus importante au bout d'un an alors qu'aucune différence n'est notée avec le régime alimentaire classique. De plus, les chercheurs notent une diminution importante de l'inflammation générale qui suggère une diminution du risque de complications[187].

Dès lors, pourquoi n'y a-t-il pas plus de financements publics pour continuer les recherches sur l'impact de l'alimentation dans cette maladie? Pourquoi certains professionnels de santé sont-ils pris d'un fou rire lorsqu'on évoque l'idée d'améliorer la santé des malades avec un simple régime alimentaire sans gluten, peu coûteux et sans effets secondaires? Ces questions sont sans réponse.

➤ L'arthrose

Si vous avez la chance de ne souffrir ni de spondylarthrite ankylosante ni de polyarthrite rhumatoïde, il y a en revanche de fortes chances pour que vous soyez un jour touché par l'arthrose qui est de loin la maladie articulaire la plus fréquente. Elle se manifeste par des douleurs, des raideurs et une perte de mobilité qui peut être très importante et nécessiter un acte chirurgical. On estime qu'elle touche au moins 8 % des adultes, soit environ 5 millions de Français[188, 189]. Malgré la prévalence de cette pathologie, son origine exacte est inconnue et elle est considérée comme incurable. On a longtemps cru que l'arthrose était une maladie d'usure et de la vieillesse, mais elle peut en fait frapper à tous les âges de la vie. Néanmoins elle est plus fréquente avec l'âge, les traumatismes (accidents, mouvements répétitifs), le surpoids ; et elle touche plus souvent les femmes[190]. Bien qu'on retrouve une influence génétique dans 60 % des cas environ, aucun gène ne peut provoquer la maladie à lui seul[191] ; la maladie est donc loin d'avoir livré tous ses secrets.

S'il s'agissait bien d'une maladie « d'usure » des articulations, elle toucherait plus souvent les sportifs ; pourtant une activité modérée semble protectrice[192, 193]. Le point le plus important reste le lien marqué entre l'arthrose et le vieillissement : pourquoi la maladie est-elle de plus en plus fréquente à mesure que l'on vieillit ? Avec l'âge, notre organisme accumule des substances en provenance de l'alimentation qu'on appelle les « produits avancés de la glycation » (AGE) et qui bloquent le fonctionnement normal de notre organisme. Toutes les études les plus récentes ont réussi à démontrer un lien fort entre les AGE et le développement de l'arthrose ; certains travaux ont même retrouvé un lien expliquant la susceptibilité génétique[194, 195, 196, 197, 198]. Nous allons voir au chapitre suivant comment les produits céréaliers et en particulier ceux à base de blé nous encrassent littéralement d'AGE et favorisent le développement de l'arthrose.

Chapitre 7
Comment le blé nous fait vieillir

Qu'est-ce que le vieillissement ? Il serait bien prétentieux de tenter de répondre précisément à cette question alors même que les chercheurs sont encore incapables d'en comprendre tous les tenants et les aboutissants. Il me semble important de préciser qu'il n'y a pas un mais plusieurs vieillissements : nombreuses sont les personnes à se réjouir de l'espérance de vie élevée en France (puisqu'elle atteint 85,3 ans pour les femmes en 2010), mais qu'en est-il de la qualité de vie ? Ne faut-il pas distinguer une vie indépendante et active d'une vie dans laquelle on dépend de médicaments ou d'une assistance ?

Il existe un indice qui permet de tenir compte de cet aspect des choses : c'est l'espérance de vie en bonne santé ou espérance de vie sans incapacité (EVSI). Comme son nom l'indique, cet indice traduit le nombre d'années moyen pendant lequel on vit sans dépendance. Et, depuis 2006, cet indice ne cesse de chuter en France. En 2010, l'EVSI des femmes françaises était de 63,5 ans, soit 21,8 ans de vie avec incapacité, en moyenne. Autrement dit, nous vivons de plus en plus longtemps, mais de moins en moins en bonne santé. En Europe, c'est la Suède qui occupe le haut du tableau avec une espérance de vie de 83,6 ans pour les femmes avec une EVSI de 71 ans ! Je crois fermement que l'augmentation de l'EVSI passe par une meilleure politique de prévention en matière de santé en lieu et place de simples traitements symptomatiques. L'hygiène de vie et en particulier la nutrition y jouent un rôle majeur.

Deux théories du vieillissement

Pour revenir au vieillissement, il y a principalement deux théories qui ont tenté d'en expliquer les mécanismes :

- **la théorie des radicaux libres**, qui stipule que le fonctionnement normal de l'organisme produit des molécules instables appelées radicaux libres qui réagissent avec les cellules et les endommagent ;
- et **la théorie de la glycation**, découverte par le chimiste français Louis-Camille Maillard. La glycation, c'est la rencontre entre un sucre et une protéine qui aboutit à une protéine modifiée. Nos enzymes sont des protéines, nos anticorps sont des protéines, nos hormones aussi. Tous agissent dans le corps comme des clés activent une serrure. La glycation, en modifiant la forme des protéines, perturbe tous les systèmes clés-serrures et altère les fonctions normales de l'organisme.

Ces deux théories fonctionnent main dans la main : les radicaux libres accélèrent la glycation et la glycation produit des radicaux libres. Je ne m'étendrai pas sur l'impact des radicaux libres dans le vieillissement ici, les recherches semblent montrer que la glycation joue un rôle plus important.

La glycation est une réaction naturelle et spontanée qui a lieu entre une protéine et un sucre (plus précisément un sucre réducteur comme le glucose, le fructose ou le galactose). Elle donne naissance à des produits intermédiaires (base de Schiff et produit d'Amadori pour nos amis chimistes) avant de donner finalement les produits terminaux de la glycation aussi appelés produits de la réaction de Maillard ou encore **produits avancés de la glycation** (AGE)[199]. Une fois qu'un AGE a été formé, aucun retour en arrière n'est possible, il devra être éliminé dans les urines sous peine de s'accumuler dans notre organisme. Nous possédons tout de même des sortes d'éboueurs internes, les macrophages, qui sont capables de nettoyer progressivement les AGE[200, 201] mais ils se retrouvent rapidement débordés et l'accumulation des AGE est inévitable. Les AGE ont des effets innombrables dans l'organisme : on sait avec certitude qu'ils favorisent les maladies cardio-vasculaires, l'apparition de la maladie d'Alzheimer, l'apparition des rides, l'impuissance masculine, la cataracte ou la dégénérescence maculaire liée à l'âge[202, 203] et cette liste est loin d'être exhaustive.

➤ Les AGE sont d'origine externe mais aussi interne

Les AGE qu'on retrouve dans l'organisme ont deux origines :

- soit ils sont apportés par l'alimentation (par exemple un produit grillé ou pané est une source importante d'AGE qui se sont formés pendant la cuisson) ;
- soit ils sont formés dans notre organisme, généralement lorsque notre taux de sucre sanguin s'élève, comme après un repas.

C'est la glycation qui donne au pain sa belle croûte dorée et à la viande grillée son goût caractéristique. Mais vous saviez déjà probablement que les aliments grillés étaient mauvais pour la santé ; jusqu'ici, rien de nouveau. Qu'en est-il de la glycation qui a lieu dans notre organisme ? Un exemple flagrant de ce problème est le diabète insulinodépendant : dans cette maladie, des injections d'insuline doivent être réalisées pour normaliser le taux de sucre sanguin qui est trop élevé. Malheureusement, ces injections ne sont pas aussi précises que la production naturelle d'insuline et les diabétiques ont donc régulièrement des variations importantes de leur taux de sucre dans le sang (la glycémie). Ce sucre, s'il est durablement élevé, réagit avec toutes les protéines du corps humain et donne naissance à des AGE *via* la fameuse réaction de glycation. Les AGE sont responsables de la plupart des complications de cette maladie : un risque cardio-vasculaire multiplié par quatre, une fragilité face aux infections, vingt fois plus de risques d'amputation d'un membre, surdité, troubles de la vue, insuffisance rénale et j'en passe. Pendant longtemps, on a donc pensé que la glycation était un problème qui ne concernait que les diabétiques sauf que voilà, chez les individus « en bonne santé » aussi le taux de sucre sanguin ne cesse de varier, et en particulier selon le type d'aliment glucidique que vous consommez.

Un aliment avec un index glycémique (IG) haut (voir encadré) provoque une brusque montée du taux de sucre dans le sang, une montée suffisante pour stimuler la glycation. Plus les variations du taux de sucre dans le sang sont importantes, plus la glycation augmente[204] et plus le risque de maladies cardio-vasculaires et la mortalité augmentent, même en l'absence de diabète[205].

Au niveau de la peau, c'est le collagène qui maintient un aspect ferme et, lorsque la glycation augmente, c'est notre peau qui vieillit prématurément et qui laisse apparaître les rides[206, 207].

Au niveau articulaire, la glycation va toucher le collagène dit « de type 2 », qui compose plus de 50 % du cartilage. Le problème, c'est que le collagène de type 2 se renouvelle extrêmement lentement, puisqu'on estime sa demi-vie à plus de 100 ans[208]. Autrement dit, à moins de vivre plusieurs centaines d'années, votre organisme conservera globalement la majorité du collagène de

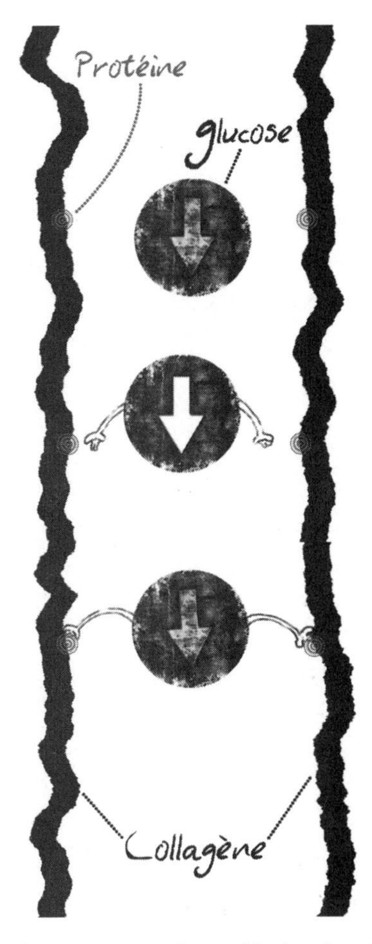

La glycation crée des ponts entre les molécules de collagène qui se rigidifient. La peau perd sa souplesse. La glycation est l'un des mécanismes de vieillissement de la peau.

votre enfance jusqu'à votre dernier souffle. C'est ainsi que, plus on vieillit, plus les AGE s'accumulent, plus le cartilage devient anormalement raide et fragile, ouvrant la porte à l'arthrose[209].

Plus de glycation, c'est donc un vieillissement accéléré, plus de maladies cardio-vasculaires, plus de rides, plus de problèmes articulaires, plus de troubles de la vue...

Qu'est-ce que l'index glycémique ?

L'index glycémique (IG) permet de classer les différents aliments contenant des glucides en fonction de leur capacité à agir sur le taux de sucre dans le sang (glycémie). Ce concept vise à remplacer la notion de « glucides complexes » et « glucides simples » qui distinguait les glucides selon qu'il s'agisse chimiquement d'un amidon (pain, pâtes, riz, etc.) ou d'une molécule plus simple (sucre de table, sucre des fruits, etc.). Encore largement utilisée aujourd'hui, cette dernière notion n'est pas représentative de la réalité : certains amidons (c'est le cas du pain) se digèrent particulièrement vite à l'inverse du sucre des fruits qui se digère très lentement bien qu'il s'agisse d'une molécule simple.

La mesure de la glycémie après l'ingestion de 50 g de glucose a servi à déterminer l'index glycémique de référence auquel on attribue par définition la valeur « 100 ». L'IG des aliments s'exprime en pourcentage de l'IG du glucose. Les lentilles ont par exemple un IG de 40 : cela signifie qu'une portion de lentilles qui apporte 50 g de glucides provoque une élévation de la glycémie de l'ordre de 40 % de celle obtenue par l'ingestion de 50 g de glucose.

Une valeur élevée indique que l'aliment a une capacité importante à élever la glycémie alors qu'une valeur faible indique une faible capacité à élever la glycémie. Lorsqu'on consomme des aliments à index glycémique élevé, notre corps produit de grandes quantités d'insuline, l'hormone responsable du stockage du glucose sous forme de graisses corporelles (pour utilisation ultérieure de l'énergie). Avec un repas à index glycémique faible, la production d'insuline est modeste et le glucose peut servir de source d'énergie plus longtemps sans être stocké. Ce simple phénomène est illustré sur les graphiques suivants.

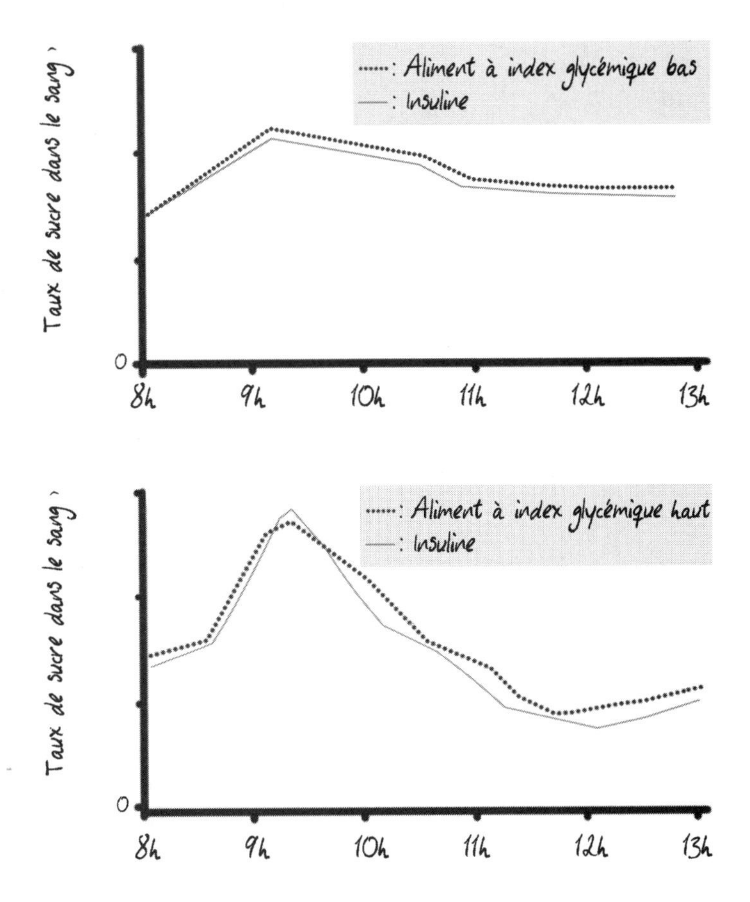

Plus un repas possède un IG élevé, plus la production d'insuline est importante pour faire baisser la glycémie. Conséquence : cette dernière chute rapidement et une hypoglycémie plus ou moins marquée peut apparaître. Ce phénomène d'hypoglycémie réactionnelle se produit typiquement avec le petit déjeuner traditionnel français (pain blanc, confiture, céréales raffinées, etc.) et se manifeste par « le coup de barre de 11 heures » ou une fringale dans la matinée, deux indicatifs d'une glycémie qui chute trop rapidement. Contrairement à ce que l'on a cru pendant longtemps et ce que l'on continue d'enseigner aux diététiciens, la plupart des pains, la plupart des céréales du petit déjeuner et les produits dérivés du blé ont un IG élevé (voir tableau ci-dessous).

Index Glycémique de quelques aliments courants :

Aliment ayant un faible IG		Aliments ayant un IG moyen		Aliments ayant un IG élevé	
Orge perlé	25	Riz basmati	38	Baguette blanche	95
Lentilles corail	26	Quinoa	53	Baguette blé complet	76
Haricots rouges	28	Flocons d'avoine	59	Pain de mie blanc	70
Pois chiche	40	Sarrasin	54	Pain de mie complet	71
Pomme	38	Lentilles	48	Biscottes blanches	68
Orange	42	Patate douce	46	Galettes de riz soufflé	85

➤ Comment lutter contre la glycation ?

Pour maintenir une glycation faible, il convient donc de maintenir une glycémie stable, c'est-à-dire de choisir des aliments à IG bas. Mais avec un IG de 95 pour le pain blanc classique (76 pour la baguette à base de blé complet) et de 65 pour les pâtes *al dente*, on ne peut pas dire que les produits à base de blé représentent un choix judicieux. Pourtant on ne cesse de nous répéter que les céréales complètes sont bonnes pour le cœur, que le pain et les pâtes complètes sont nos meilleurs alliés minceur et santé ! Pour être exact, les études ont montré que choisir des produits à base de blé complet (par exemple du pain complet) plutôt que des produits à base de blé raffiné (par exemple du pain blanc) permettait de diminuer le risque de maladies cardio-vasculaires, de diabète ou de surpoids[210, 211, 212]. Les résultats semblent identiques si on compare du riz blanc à du riz complet[213]. Pourtant, lorsque des chercheurs canadiens ont voulu tester l'impact de la consommation de pain et de céréales au blé complet au petit déjeuner sur vingt-trois adultes diabétiques, ils n'ont vu aucune différence sur le phénomène de glycation au bout de trois mois[214]. Même constat en substituant des produits à base de blé raffiné par des produits à base de seigle ou de blé complet[215]. Les études suggérant que les régimes riches en céréales complètes sont « bons pour la santé » n'ont pas comparé un tel régime à un régime sans céréales, mais à un régime à base de céréales raffinées. Dans ce cas, l'avantage est évident ! En revanche, lorsqu'on compare du blé moderne à des aliments plus naturels comme les lentilles, les pois chiches ou les haricots rouges, les choses sont bien différentes : plus on remplace le blé (complet ou non) par des légumineuses, plus la glycation diminue[216, 217], parce que ces dernières ont réellement un IG bas.

Pour la minorité de personnes qui tolèrent le blé, il est donc manifeste que les produits à base de blé complet sont plus diététiques, mais d'une manière générale, le mieux reste de se passer de blé : moins de blé, c'est probablement moins d'arthrose, moins de rides, moins de diabète, moins de maladies cardiovasculaires et une plus grande espérance de vie sans incapacité. Autre atout des légumineuses : elles sont toutes très riches en vitamines et minéraux.

Chapitre 8
Le blé qui rend fou

Dans le film d'animation français de René Goscinny et Albert Uderzo *Les Douze Travaux d'Astérix* sorti en 1976, Astérix et Obélix doivent obtenir le laissez-passer A38 dans un bâtiment bureaucratique qui n'a ni queue ni tête : la maison qui rend fou. Mais pas besoin de pousser l'imagination si loin : imaginez une maladie

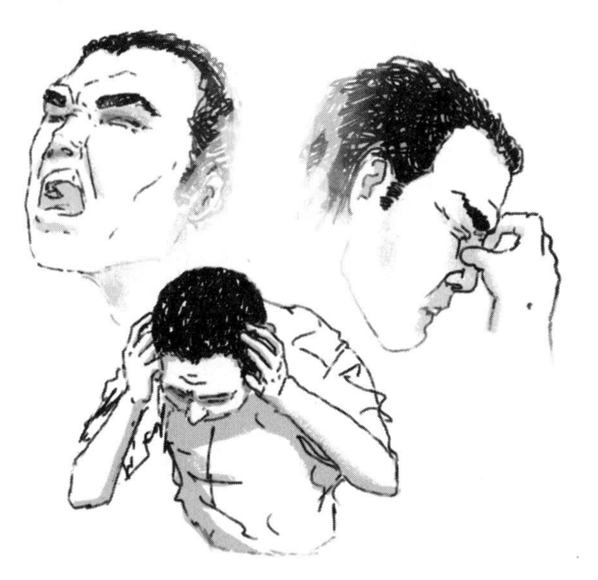

mentale qui vous donnerait des hallucinations, une incapacité à distinguer l'imaginaire de la réalité, perturberait vos émotions, vous rendrait tantôt agressif et hyperactif, tantôt dépressif et renfermé. Pour couronner le tout, la maladie serait incurable et l'enfermement en hôpital psychiatrique avec utilisation d'une camisole serait inéluctable. Cette maladie existe, c'est **la schizophrénie**. J'admets qu'elle est ici dépeinte sous un jour particulièrement noir, comme c'est le cas dans les films. Actuellement l'utilisation de la camisole n'a plus cours grâce à la révolution des médicaments neuroleptiques, découverts par un médecin neurobiologiste français, Henri Laborit. Néanmoins, il s'agit d'une maladie grave dont on ne peut guérir et qui altère la qualité de vie.

➤ Comment en est-on venu à suspecter le blé ?

Dans les années 1960, Curtis Dohan, psychiatre à l'université de Pennsylvanie aux États-Unis, travaille activement à la compréhension de la schizophrénie. Partant du constat que de nombreux malades cœliaques ont des perturbations émotionnelles qui disparaissent à l'adoption d'une alimentation sans gluten (troubles de l'anxiété, dépression, « spasmophilie », etc.), il décide d'explorer le lien éventuel entre les symptômes de la schizophrénie et la consommation de blé. Pour ce faire, il choisit d'observer le nombre d'admissions en hôpital psychiatrique pour schizophrénie pendant une période charnière qui s'étale de 1936 à 1947. Il obtient des données pour la Finlande, la Norvège, la Suède, le Canada et les États-Unis. Il constate alors que le nombre d'hospitalisations est parfaitement corrélé à la consommation de blé : en diminution pendant la guerre, il s'élève à nouveau dès que l'approvisionnement en blé redevient normal. On aurait pu supposer qu'en période de guerre les hôpitaux avaient d'autres chats à fouetter que de soigner les schizophrènes, mais l'analyse du Dr Dohan montre bien que ce lien avec la consommation de blé existe également dans les pays qui n'ont pas souffert de l'occupation, comme les États-Unis[218]. Fort de ce constat, il poursuit son travail d'investigation en supprimant les céréales et les produits laitiers de l'alimentation de patients schizophréniques hospitalisés. Résultat : les malades voyaient leur état s'améliorer beaucoup plus rapidement que d'habitude et quittaient l'hôpital beaucoup plus tôt (durée d'hospitalisation réduite de moitié)[219].

Ces résultats ont été confortés par une autre équipe en 1986 : en donnant une alimentation sans gluten à douze patients dans une unité pour malades difficiles, des chercheurs anglais ont observé une amélioration significative des symptômes et une rechute à la réintroduction du gluten[220].

En 2008, des chercheurs de l'hôpital universitaire de Duje aux États-Unis ont relaté le cas surprenant d'une femme de 70 ans. Depuis l'âge de 7 ans, elle souffrait d'hallucinations auditives et visuelles, des symptômes typiques de la schizophrénie qui l'avaient conduite à cinq tentatives de suicide. Pis, la pauvre dame était devenue obèse depuis les années 1950, en partie à cause des nombreux médicaments psychotropes qu'elle prenait qui parvenaient difficilement à contrôler ses symptômes (lithium, olanzapine, aripiprazole, ziprasidone, lamotrigine, quetiapine et finalement risperidone) ; elle souffrait aussi d'hypertension artérielle, d'apnée du sommeil, de reflux gastro-œsophagien, d'incontinence urinaire et de glaucome. Face aux difficultés de traitements dont était victime cette dame, les médecins ont décidé de faire un essai : ils ont décidé de modifier son alimentation et lui ont prescrit **un régime cétogène**.

Qu'est-ce qu'un régime cétogène ?

Un régime cétogène est un régime riche en lipides et très pauvre en glucides. En l'absence de glucides, le corps utilise l'énergie des matières grasses en les transformant en corps cétoniques – on dit que l'organisme est en état de cétose. Cette énergie issue des graisses permet au corps de fonctionner normalement, mais en utilisant une autre voie métabolique qui stabilise l'activité électrique des neurones au niveau cérébral. Le régime cétogène est utilisé avec succès (efficacité supérieure à 90 %) depuis plus d'un siècle pour soigner l'épilepsie chez les enfants chez qui les médicaments n'ont pas d'efficacité. Ce régime ne doit pas être utilisé par les personnes diabétiques. Il peut aussi conduire à des déficits en potassium.

Sa nouvelle alimentation était constituée uniquement de viande de bœuf, de porc, de volaille, de poissons, d'œufs entiers, de salade verte, de haricots verts, de tomates, de sodas sans sucre et d'eau. Ce régime, outre le fait d'être riche en graisses et pauvres en sucres (lire encadré), a la particularité de ne pas renfermer de gluten. Huit jours après avoir démarré cette nouvelle alimentation, la dame expliqua aux chercheurs qu'elle n'avait plus aucune hallucination auditive ni visuelle. Elle continua donc son nouveau régime alimentaire et lorsqu'elle retourna voir les médecins un an plus tard, ses symptômes avaient toujours bel et bien disparu[221]. Cette équipe de chercheurs, très intriguée par ce cas clinique, a passé en revue la littérature médicale consacrée au gluten. Et elle en a conclu que le gluten semblait bien jouer un rôle important dans la schizophrénie, une idée soutenue par de nombreux chercheurs aujourd'hui[222, 223, 224].

Mais si le gluten rend schizophrène, c'est donc que les schizophrènes sont des malades cœliaques ?

Curieusement il semble que non : il n'existe pas de lien entre la prévalence de la maladie cœliaque et la schizophrénie[225] lorsqu'on utilise les outils diagnostics classiques (voir p. 71). En revanche, et la surprise est de taille, lorsqu'on recherche des anticorps dirigés directement contre la gliadine du blé ou contre la transglutaminase 6, des mesures rarement effectuées, alors là oui, on trouve un lien entre les deux maladies.

En 2011, le Dr Fasano et son équipe ont constaté qu'on retrouve des anticorps dirigés contre la gliadine sept fois plus souvent chez les schizophrènes que chez les personnes en bonne santé[226].

En 2012, des chercheurs de l'université John-Hopkins aux États-Unis ont montré une présence anormalement élevée d'anticorps dirigés contre la transglutaminase 6 chez les schizophrènes[227].

Qu'est-ce que la transglutaminase ?

La transglutaminase est une enzyme qui existe sous huit formes différentes dans le corps humain. Elle permet d'agglutiner les protéines les unes aux autres. Son rôle est donc important dans la réparation des tissus, la coagulation du sang, des villosités intestinales ou dans le développement normal du cerveau. Ainsi la transglutaminase 2 est retrouvée dans tout l'organisme alors que la transglutaminase 3 se confine dans la peau (voir « dermatite herpétiforme » p. 131) et la transglutaminase 6 au niveau du cerveau, en particulier au niveau du cervelet et des neurones dopaminergiques[228] qui sont fortement impliqués dans les symptômes de la schizophrénie. Le rôle de la transglutaminase 6 semble également majeur dans l'ataxie cérébelleuse (p. 118). Toutes les fonctions de la transglutaminase ne sont pas connues et font l'objet d'actives recherches.

Pour finir, les études génétiques ont montré qu'il existait un lien fort entre le système HLA (et donc le système immunitaire) et la schizophrénie[229].

➤ Le blé, l'opium du peuple

Des travaux de recherche récents laissent penser que la schizophrénie s'accompagne d'une augmentation du niveau d'inflammation et d'une augmentation de la perméabilité intestinale. Ces deux conditions permettraient à certains fragments protéiques du blé et du lait, **les exorphines**[230, 231, 232, 233] d'atteindre le cerveau. Mais que sont les exorphines ? Ce n'est pas le nom de la dernière drogue à la mode dans les soirées branchées, mais le fruit d'une découverte qui remonte à la fin des années 1970. Des chercheurs du laboratoire de biochimie de l'Institut national pour la santé mentale des États-Unis ont reproduit expérimentalement le processus de digestion du blé en exposant du gluten à de l'acide chlorhydrique et de la pepsine, deux éléments qui permettent de digérer les protéines au niveau de l'estomac.

Cette expérience a permis de montrer que la digestion du blé produit des peptides (des fragments de protéines) qui ont une activité sur les récepteurs aux opiacés (récepteurs aux substances dérivées de l'opium) situés au niveau du cerveau et dont le rôle est important dans le contrôle du stress, de la douleur et des émotions. C'est en se fixant sur ces récepteurs que la morphine exerce ses effets antidouleur, mais aussi ses effets secondaires (constipation, euphorie, agressivité).

Endorphines et exorphines

Notre organisme produit lui-même une sorte de morphine qu'on appelle *les endorphines*, lors d'activités physiques intenses, d'excitation ou de rapports sexuels. Pour différencier les peptides dérivés du blé de nos propres endorphines, les chercheurs leur ont donné le nom d'*exorphines* (*endo* provient du grec ancien et signifie « dedans » alors qu'*exo* signifie « hors de »)[234].
Ces exorphines proviennent de la digestion des prolamines et apparaissent donc également après consommation d'avoine, de seigle ou d'orge. De plus, ces chercheurs ont montré la production d'exorphines après la digestion de caséine, la principale protéine du lait[235]. Les exorphines dérivées de la protéine de lait sont aujourd'hui appelées les casomorphines et celles dérivées du blé sont appelées glutéomorphines.

Le blé aurait donc un impact direct sur le cerveau[236, 237]. Pour vérifier cette hypothèse, l'Organisation mondiale de la Santé (OMS) a voulu voir ce qui se passe lorsque l'on bloque les récepteurs aux opiacés. Cinquante-huit malades psychotiques dont trente-deux schizophrènes se sont vus administrer un médicament, la naloxone, utilisé pour traiter l'overdose de morphine. La naxolone bloque rapidement l'action de la morphine au niveau du cerveau, elle bloque donc l'action des exorphines d'une manière générale.

Qu'ont observé les scientifiques ? Les résultats sont surprenants : la naloxone réduit fortement les hallucinations chez tous les schizophrènes. Je précise que ces patients prennent également au moment de l'expérience un traitement médicamenteux classique (qui, à lui seul au début de l'expérience, ne suffisait pas à supprimer les hallucinations). La naloxone en revanche n'a montré aucun effet chez les malades affectés par une autre maladie psychiatrique[238] que la schizophrénie.

Même s'il est vrai que ces travaux préliminaires menés sur de petits groupes de malades n'apportent pas de certitude absolue, il est certain que certains résidus issus de la digestion du blé posent problème chez les schizophrènes et qu'un régime sans céréales (sans prolamines) ni produits laitiers pourrait leur venir en aide.

De nombreux chercheurs estiment que de nouvelles recherches devraient être menées dans cette direction, mais les fonds publics font cruellement défaut alors qu'à l'inverse ils sont faramineux pour les études sponsorisées par les laboratoires pharmaceutiques.

Vers une nouvelle vision de la schizophrénie

L'origine de la schizophrénie n'est pas à 100 % génétique. De nombreux gènes sont impliqués[239] certes mais on ne peut nier une influence forte de l'environnement sur les gènes. Depuis 2010, on sait, grâce à l'utilisation de l'IRM sur des nouveau-nés, que l'on naît schizophrène et que c'est l'environnement qui déclenchera la maladie ou non[240, 241, 242]. En 2012, des chercheurs suédois en neurosciences ont montré que, plus une mère a d'anticorps dirigés contre la gliadine du blé dans le sang, plus le risque que son enfant développe une schizophrénie augmente[243]. À la lumière de l'ensemble des données actuelles, le mécanisme qui me semble le plus solide est celui d'un dysfonctionnement de la transglutaminase 6 pendant le développement du fœtus par interaction avec le gluten chez des mères intolérantes. Cette dysfonction doit induire les anomalies des systèmes dopaminergiques typiques de la maladie. Plus tard à l'âge adulte, si l'intestin devient perméable (mauvaise alimentation, infection bactérienne, stress) et si des exorphines passent dans le sang, celles-ci vont perturber le cerveau et déclencher de manière irréversible la schizophrénie. Ce déclenchement semble aussi pouvoir se produire avec l'ingestion d'autres substances que les exorphines : on sait par exemple que le cannabis peut provoquer la même cascade sans retour[244].

➤ Une drogue licite

Et chez les adultes en bonne santé ? Quel est l'effet des exorphines sur le cerveau ? Que se passerait-il si l'on donnait de la naloxone aux Français amateurs de bon pain ?

Une telle expérience a été tentée dès 1985 par des chercheurs de l'institut psychiatrique de l'université de Caroline du Sud aux États-Unis : ils ont administré de la naloxone à sept adultes en bonne santé puis les ont laissé manger ce qu'ils voulaient pendant la journée. Résultat : avec la naloxone les participants ont consommé 33 % de calories en moins au déjeuner et 23 % de calories en moins au dîner, sans ressentir la moindre faim[245].

En 1995, les chercheurs du Michigan reproduisent l'expérience sur des femmes obèses et boulimiques avec une trouvaille encore plus surprenante : la naloxone est capable de supprimer complètement les comportements boulimiques[246] !

Se pourrait-il que le blé soit responsable de la boulimie qui fait souffrir tant de jeunes femmes ? Une chose est certaine : les exorphines du blé agissent sur notre cerveau au niveau de la sensation de plaisir et de récompense à la manière d'une drogue. Mais d'après les chercheurs, ces exorphines ne devraient pas être capables de franchir un intestin en bonne santé pour atteindre notre cerveau. Le blé agit donc à la manière d'un cheval de Troie : il augmente la perméabilité intestinale en sollicitant la production de zonuline puis s'introduit dans notre organisme, atteint le cerveau et modifie nos comportements alimentaires. Les exorphines du blé ne sont donc probablement pas actives chez ceux qui ont réussi à conserver une barrière intestinale de qualité, en revanche si vous avez la sensation de ne pas pouvoir vivre sans pâtes, si le pain vous manque à chaque repas, si vous souffrez de fringales chroniques qui vous poussent toujours vers des biscuits ou des viennoiseries, vous êtes probablement un drogué du blé. Et cette drogue n'est pas une drogue douce : ses effets sont comparables à ceux des narcotiques, des substances dérivées de l'opium qui peuvent induire très rapidement une forte dépendance.

Toxicomane du blé ? Une seule solution : la désintoxication ! Fort heureusement, le sevrage n'occasionne pas d'effets indésirables. Il vous faudra lutter pendant quelques jours contre vos envies pour retrouver un appétit normal, une meilleure humeur, moins de stress, un mieux-être général et sans doute à terme, un ventre plus plat !

➤ L'ataxie

Si vous êtes drogué au blé, estimez-vous heureux, vous connaissez désormais la solution à votre problème. D'autres personnes n'ont pas cette chance. Elles vivent avec une maladie pour laquelle il n'existe aucun traitement, c'est l'ataxie. L'ataxie c'est un peu comme si vous étiez sous l'emprise de l'alcool : désorienté, avec des difficultés à marcher ou saisir des objets. Progressivement, vous perdez vos mots ou vos capacités visuelles, vous devenez incapable de vous brosser les dents, de vous laver, de contrôler vos mictions. Mais ce n'est pas la faute à l'alcool : c'est votre cerveau qui est touché, et plus précisément le cervelet, une structure qu'on retrouve chez tous les vertébrés et qui joue un rôle majeur dans le contrôle moteur et dans une moindre mesure, dans les fonctions cognitives hautes (concentration, langage, émotions, peur).

Une fois le diagnostic posé par le neurologue, en général vers 40 ans, la suite est simple : rien à faire ! Il n'y a pas de traitement.

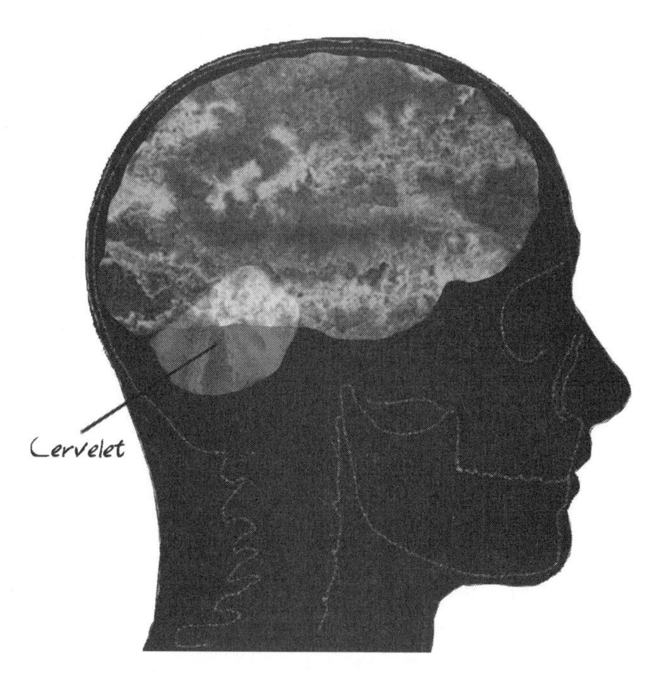

La maladie évolue lentement, rendant chaque jour le quotidien plus insupportable. Si aucune cause n'est retrouvée, on parle d'« ataxie idiopathique »*.

C'est en 1992 que des chercheurs neurologues londoniens ont eu l'idée de voir s'il existait un lien entre l'ataxie et l'intolérance au gluten. Ils ont recruté 220 personnes souffrant de différentes formes d'ataxie (quelle qu'en soit la cause) chez lesquelles ils ont effectué une biopsie intestinale (ce qui est encore considéré en France comme l'examen le plus fiable pour diagnostiquer une

---

* Il existe plus d'une vingtaine d'ataxies : l'ataxie de Friedreich (génétique), l'ataxie par déficit en vitamine E, l'ataxie télangiectasie, l'ataxie de Charlevoix-Saguenay, l'ataxie par intoxication au mercure, etc.

intolérance au gluten), une mesure de la présence d'anticorps dirigés contre la gliadine du blé et une analyse des marqueurs génétiques pour la sensibilité à la maladie cœliaque (HLA). Résultat : plus de 40 % des malades présentent des anticorps dirigés contre la gliadine du blé bien que seulement 24 % d'entre eux aient des lésions intestinales typiques de la maladie cœliaque. Pour ces chercheurs, la majeure partie des ataxies sont bien provoquées par le gluten et les tests classiquement utilisés (biopsie, anticorps anti-endomysium) posent problème, car ils ne détectent pas toutes les réactions liées au gluten, ce qui laisse beaucoup de malades sans diagnostic réel et sans traitement[247].

L'équipe de recherche pense avoir mis à jour la manière dont le gluten provoque l'ataxie : lorsque la gliadine du blé passe dans le sang, le système immunitaire s'affole et une réaction croisée a lieu avec les cellules de Purkinje qui sont des neurones du cervelet. L'organisme produit alors des anticorps dirigés contre nos propres cellules de Purkinje qui sont détruites de manière irréversible. On retrouve alors à l'imagerie médicale (IRM) une atrophie du cervelet[248].

D'autres travaux plus récents font état d'une réaction immunitaire contre la transglutaminase 6[249, 250, 251]. Il est probable que les deux mécanismes ont lieu main dans la main.

Un régime sans gluten peut-il guérir l'ataxie?

Ces mêmes chercheurs ont testé cette hypothèse sur une vingtaine de patients : un régime sans gluten strict permet de stopper l'évolution de la maladie, un exploit ! Une amélioration très progressive des symptômes a également lieu, mais malheureusement la rémission complète n'est pas obtenue compte tenu de la lenteur du cervelet à se régénérer. Les chercheurs estiment que toute personne victime d'ataxie devrait essayer de suivre un régime strict sans gluten pendant au moins un an, car la moindre protéine dérivée du blé peut suffire à alimenter la réaction immunitaire[252]. L'ataxie, est-ce cela le bénéfice santé qu'on peut attendre des céréales complètes comme nous le suggèrent régulièrement les campagnes de publicités à la télévision ?

➤ La neuropathie

L'Hydre de Lerne est une créature de la mythologie grecque qui possède plusieurs têtes. Chaque fois qu'on lui en coupe une, ce sont deux autres qui repoussent. Notre bon blé est un peu comme l'Hydre : à mesure que la recherche avance sur la maladie cœliaque et ses mécanismes, on découvre continuellement de nouvelles maladies qui lui sont affiliées. Prenez la neuropathie par exemple : cette maladie qui est une complication fréquente du diabète se traduit par une atteinte des nerfs périphériques avec apparition de troubles de la sensibilité, douleurs, impuissance, fourmillements, vertiges, faiblesses, troubles de la parole et de la vue, troubles du transit, etc. De tels symptômes peuvent être la seule manifestation d'une intolérance au gluten[253]. Fort heureusement, et contrairement au cervelet dans l'ataxie, les cellules nerveuses périphériques peuvent récupérer au moins partiellement avec l'adoption d'un régime sans gluten[254]. Là encore les chercheurs estiment que la recherche d'anticorps dirigés contre la gliadine du blé devrait être faite pour toute neuropathie d'origine douteuse ou inconnue[255]. Dans les neuropathies, il semblerait que le mécanisme soit toujours celui d'une réaction croisée avec production d'anticorps dirigés contre les gangliosides, des cellules de notre système nerveux[256].

L'épilepsie

La neuropathie n'a rien à voir avec l'histoire de Jack, petit garçon de 4 ans. Admis au service de neurologie de l'hôpital pour enfant de Sydney en Australie, il était victime de problèmes du système nerveux, des crises d'épilepsie occipitale, résistantes à tous les traitements médicamenteux. En poussant les examens, les chercheurs ont constaté la présence de calcifications cérébrales (des dépôts anormaux de calcium) et d'une maladie cœliaque. Ils ont donc immédiatement mis en place un régime sans gluten. Peu de temps après, l'épilepsie de Jack n'était plus qu'un lointain souvenir et il a pu enfin démarrer une vie normale[257].

Les malades cœliaques ont généralement un risque d'épilepsie plus élevé de 43 % que la normale[258]. À l'inverse, les personnes touchées par des crises d'épilepsie d'origine inconnue sont deux fois plus susceptibles que les autres d'être intolérantes au gluten[259, 260, 261]. Le plus souvent, les crises d'épilepsie liées à une intolérance au gluten sont de type occipital ou lobe temporal ; dans une moindre mesure, il s'agit de crises généralisées dites « grand mal » pendant lesquelles on perd brutalement connaissance[262, 263, 264, 265]. On ne retrouve souvent aucun symptôme digestif, mais des anticorps anti-endomysium (lire p. 71) et/ou dirigés contre la gliadine.

Ce qu'il y a de plus remarquable, c'est qu'on sait depuis longtemps que le régime cétogène de type Atkins est particulièrement efficace dans le traitement de l'épilepsie lorsque l'utilisation de médicaments n'est pas possible. Or un régime cétogène est obligatoirement sans céréales (voir p. 112). Sans aller jusqu'au régime cétogène, un régime sans gluten peut réduire au silence l'épilepsie dès lors qu'elle découle d'une intolérance au gluten ou, du moins, permettre une diminution des crises et/ou des médicaments d'après des chercheurs italiens et brésiliens, ce qui représente en soi une grande amélioration en termes de qualité de vie[266, 267].

➤ Migraines et dépression

La lecture vous donne mal au crâne ? Ne blâmez pas le livre, la **migraine** est parfois la seule manifestation d'une intolérance au gluten[268]. C'est là encore un problème de santé courant pour lequel on ne pense malheureusement jamais au blé ! Pourtant l'intolérance au gluten est dix fois plus fréquente chez les migraineux que dans la population générale[269] !

En fait le mal de tête est de loin la manifestation neurologique la plus courante dans le cas d'une maladie cœliaque[270]. Mais comme dans l'ataxie ou l'épilepsie, on ne retrouve pas nécessairement d'anticorps typiques de la maladie : dans la plupart des cas, seuls ceux dirigés contre la gliadine du blé sont apparents.

L'adoption d'une alimentation sans gluten suffit à retrouver une vie normale, sans douleur[271, 272].

La deuxième manifestation psychique la plus courante d'une intolérance au gluten est **la dépression**, qui concerne environ 30 % des cas[273, 274, 275]. Elle se manifeste principalement sous la forme d'un trouble anxieux, d'irritabilité et d'une apathie (manque d'entrain). Les causes exactes sont inconnues et vont du déficit en vitamines consécutif à une malabsorption (intestin endommagé) à des perturbations indirectes touchant d'autres organes, par exemple un problème de thyroïde, fréquent chez les malades cœliaques (voir p. 70).

Cette complexité des causes de la dépression explique peut-être pourquoi les symptômes dépressifs ne disparaissent pas toujours rapidement[276] et plaide en faveur d'une psychothérapie accompagnée d'une supplémentation en vitamines pendant la période de convalescence[277].

▶ L'autisme

Dans un rapport rendu public en avril 2009 par l'Agence française de sécurité sanitaire des aliments (Afssa) et intitulé *Efficacité et innocuité des régimes sans gluten et sans caséine proposés à des enfants présentant des troubles envahissants du développement (autisme et syndromes apparentés)*, l'Agence déconseillait le régime sans gluten et sans lait aux enfants autistes. Bien entendu le fait que le comité d'experts ayant travaillé sur cette question ait été piloté par le Pr Jean-Louis Bresson, qui a été le président de la mission scientifique de Syndifrais, une organisation professionnelle qui regroupe les industriels des secteurs privés et fabricants des yaourts et laits fermentés, des fromages frais, des desserts lactés frais ainsi que des crèmes fraîches n'a absolument aucun rapport avec la conclusion.

L'autisme est une maladie terrible qui frappe dans l'enfance et se manifeste par des troubles graves de la communication verbale et non verbale, des interactions sociales anormales, des centres d'intérêts limités et des conduites répétitives et stéréotypées. L'origine exacte de cette maladie est encore inconnue. On a longtemps supposé un déclenchement de la maladie suite à certaines vaccinations, mais bien que les adjuvants utilisés dans les vaccins ne soient pas dénués de danger, cette piste a été complètement abandonnée depuis que des liens financiers ont été mis au grand jour en 2010 entre les chercheurs qui travaillaient sur ce sujet et les avocats travaillant sur un possible recours juridique contre les fabricants de vaccins aux États-Unis.

Il y a bien longtemps que l'importance de l'argent a dépassé celui de la vérité.

Les recherches montrent une perméabilité intestinale augmentée chez les enfants autistes, ce qui a poussé fort logiquement de nombreux chercheurs et parents à mettre en place un régime sans blé ni produits laitiers, c'est-à-dire sans gluten ni caséine. Les recherches ne sont pas encore concluantes, mais les résultats sont très encourageants avec une amélioration de nombreux symptômes même si une rémission totale semble exclue[278]. Une récente analyse de la littérature médicale dirigée par un groupe de chercheurs anglais et norvégiens a conclu que le régime sans gluten et sans caséine pouvait être efficace chez un certain nombre d'enfants bien qu'on n'en connaisse pas la raison[279]. Mais qui pourrait bien être réticent à une amélioration des symptômes sans aucun effet secondaire ? L'Afssa, manifestement !

La raison pour laquelle le régime sans gluten et sans caséine ne produit pas l'effet escompté est probablement très simple : ni le gluten ni la caséine ne sont la cause de la maladie. Des recherches intéressantes sur la compréhension des causes ont été conduites par un groupe de chercheurs de l'école de médecine Mount Sinaï à New York aux États-Unis : ils ont passé au crible la littérature médicale pour répertorier les dix produits les plus susceptibles d'influer sur le risque de cette maladie. Il s'agit de produits chimiques qui sont présents dans notre environnement et dans des produits de consommation courante, en particulier alimentaires : le plomb (dans les vieilles plomberies), le mercure (dans certains poissons), les PCB (interdits depuis 1987, mais fortement persistants dans l'environnement et retrouvés dans les graisses animales), les pesticides organophosphorés, les pesticides organochlorés, le bisphénol A et les phtalates (retrouvés dans les produits plastiques et cosmétiques, les conserves, les gaz d'échappement), les amines hétérocycliques (issus de la combustion d'énergies fossiles ou de viandes grillées), les retardateurs de flamme bromés (utilisés massivement dans l'industrie pour rendre les produits moins inflammables) et les composés perfluorés (substances antiadhésives)[280].

L'alimentation sans gluten et sans caséine permet vraisemblablement de limiter la perméabilité intestinale déjà présente et surtout empêche l'exposition aux exorphines du blé et de la caséine qui ajoutent aux perturbations cérébrales d'enfants déjà malades ! Le régime sans gluten et sans caséine ne devrait donc pas être déconseillé, mais au contraire, fortement encouragé !

Chapitre 9
Le blé, nouveau cauchemar des dermatologues

Le Dr Staffan Lindeberg est médecin généraliste en Suède. Il s'intéresse depuis longtemps aux liens qui unissent l'alimentation et la santé, mais c'est à la fin des années 1980 que son travail prend de l'ampleur. En effet, il découvre avec son équipe en 1989 une population d'indigènes sur l'île de Kitava, en Papouasie Nouvelle-Guinée, qui est alors considérée comme la dernière tribu de chasseurs-cueilleurs. Leur alimentation est très proche de celle que nous avions au Paléolithique. Mais c'est aussi leur mode de vie dans son ensemble qui a été préservé de l'influence des pays industrialisés. En 1990, il est impossible de trouver de l'électricité, le téléphone ou un véhicule sur l'île de Kitava. D'une surface de 25 km^2 (environ le double de la superficie de l'Île-de-France), celle-ci abrite 2 250 habitants qui vivent de la pêche et de l'horticulture.

En 1990, Staffan Lindeberg décolle pour Kitava avec pour objectif d'étudier l'état de santé de ses habitants. Pendant sept semaines, il va enchaîner les rencontres et pratiquera 1 200 examens de santé sur des adultes âgés de 20 ans ou plus. Et les résultats sont surprenants : aucun des habitants de Kitava ne présente le moindre bouton, la moindre pustule ou le moindre comédon, même chez les jeunes de moins de 25 ans ! L'acné y est une maladie totalement inconnue[281] !

➤ Comment l'expliquer ?

La première hypothèse à laquelle a pensé Lindeberg est celle d'un avantage génétique qui protégerait de l'acné. Problème : les recherches montraient déjà à l'époque que l'acné est une maladie peu influencée par la génétique, en particulier en ce qui concerne la production de sébum qui bouche les pores de la peau[282], un élément confirmé depuis[283]. C'est donc l'environnement qui influencerait le plus l'acné.

C'est en observant également l'absence d'acné dans une autre peuplade ancestrale, les Indiens Aché du Parguay, que le Dr Lindeberg et ses collègues finiront par comprendre le rôle prépondérant de l'alimentation : ces deux peuples avaient en effet une alimentation totalement dépourvue de produits laitiers, d'alcool, de café, de thé, d'huiles, de margarines, de céréales, de sucre ajouté et de sel. Sur Kitava, l'alimentation était constituée principalement de poissons, de noix de coco, de fruits et de tubercules comme la patate douce ou le manioc. Une alimentation totalement *carencée* en céréales complètes ! Pourtant l'espérance de vie sur Kitava est supérieure à 75 ans et le surpoids, le diabète, l'athérosclérose, l'hypertension artérielle ou la malnutrition y sont inconnus. On y meurt le plus souvent des suites d'une infection, à cause de complications pendant la grossesse, d'un accident ou tout simplement de vieillesse.

➤ Des médicaments à l'alimentation

L'acné est caractérisée par une production excessive de sébum, une obstruction du follicule pileux et la prolifération exagérée d'une bactérie normalement présente dans la peau, *Propionibacterium acnes*. Bien que ces symptômes soient très fréquents, on n'en connaît pas encore tous les tenants et aboutissants. L'influence des hormones n'est plus à démontrer, que ce soit dans le cadre de la puberté[284] ou bien lors de l'utilisation de fortes doses de stéroïdes anabolisants[285]. Les traitements les plus utilisés sont les antibiotiques, de moins en moins efficaces en raison de leur utilisation abusive qui rend les bactéries résistantes, et le zinc, qui permet de réduire l'inflammation[286]. Mais le traitement phare reste l'isotrétinoïne, un dérivé de la vitamine A, plus connu sous le nom de Roaccutane, efficace dans 80 % des cas. Il y a dix ans, on réservait son utilisation aux cas d'acné très sévères en raison des nombreux effets secondaires. Aujourd'hui, je croise régulièrement de jeunes femmes avec une acné très modérée qui ont obtenu le traitement en faisant les yeux doux à leur médecin. L'isotrétinoïne est une substance non dénuée d'effets secondaires : prendre ce médicament, c'est un peu comme s'intoxiquer avec de fortes doses de vitamine A, d'où les nombreux effets secondaires qui sont exactement ceux de l'excès de vitamine A : peau très sèche, démangeaisons, desquamation (décollement et perte d'une couche de peau), chute de cheveux, troubles de la vue, destruction du foie, douleurs articulaires et surtout augmentation du risque de dépression et de suicide[287]. Ah, j'oubliais, certains effets secondaires peuvent être irréversibles, en particulier la sécheresse cutanée, les yeux secs et la perte de l'acuité visuelle (prudence pour ceux qui veulent devenir pilote).

À côté de ça, vous a-t-on déjà parlé de l'impact de l'alimentation sur l'acné ? Aujourd'hui, on balaie d'un revers de main

son influence ; pourtant, dans les années 1950, tous les traités de dermatologie à la disposition des médecins l'évoquaient et on conseillait couramment la suppression des aliments gras, du chocolat et des produits sucrés pour améliorer l'acné[288]. C'est là en effet que se trouvent les données les plus intéressantes. L'alimentation moderne semble posséder les deux ingrédients *magiques* pour booster nos hormones responsables de ce merveilleux décor cutané : **les produits laitiers et le blé** avec son index glycémique stratosphérique. Plus vous consommez de produits laitiers et d'aliments à index glycémique élevé, plus votre acné s'aggrave[289, 290, 291, 292]. Malheureusement, très peu d'études d'intervention ont été menées sur des adolescents pour déterminer si oui ou non une alimentation sans produits laitiers et à index glycémique bas améliorait l'acné. L'une d'elles a toutefois été menée par des chercheurs australiens : au bout de trois mois, le nombre de lésions cutanées a été divisé par deux comparativement à ceux qui n'avaient pas changé d'alimentation[293]. Et les effets secondaires ? Aucun.

➤ La dermatite herpétiforme

Louis Adolphus Duhring est né le 23 décembre 1845 à Philadelphie aux États-Unis. Amoureux des sciences, il décide de devenir médecin et se passionne pour la dermatologie. Il obtiendra son diplôme de docteur en médecine en 1867, peu après la guerre de Sécession qui fera plus de 500 000 morts. Son apprentissage se poursuivra ensuite à Vienne, Paris puis Londres avant de rentrer dans son pays d'origine. Il mettra sur pied en 1874 le premier département de dermatologie des États-Unis à l'université de Pennsylvanie, ce qui lui vaut d'être considéré comme un pionnier de cette discipline[294].

Au cours de ses voyages et de ses rencontres, le Dr Duhring fait état d'une maladie de peau jusqu'alors inconnue caractérisée par des taches rouges avec démangeaisons généralement retrouvées derrière les coudes et les avant-bras, les fesses et les genoux[295]. Les personnes touchées décrivent les symptômes ainsi : « *C'est comme si on se roulait nu après un coup de soleil dans des orties ou comme si on s'enveloppait dans une couverture de laine remplie de fourmis et de puces.* »

Le dermatologue sera le premier à décrire la maladie en 1883 dans la prestigieuse revue médicale *Journal of the American Medical Association*[296]. Toutes les personnes touchées par cette maladie présentent des anticorps anti-endomysium typiques de la maladie cœliaque. Les symptômes ne sont probablement que le reflet d'une réaction croisée entre la transglutaminase intestinale et celle présente au niveau de la peau, la transglutaminase 3[297, 298]. Généralement, les personnes n'ont aucun symptôme digestif. Si j'étais psychanalyste, je dirais que la dermatite herpétiforme est en quelque sorte la somatisation de la maladie cœliaque[299]. Le traitement est simple et efficace: la suppression totale du gluten[300, 301]. La non-observation de ce traitement expose aux mêmes risques que dans le cas de la maladie cœliaque asymptomatique: diabète de type 1, maladies inflammatoires de l'intestin, problèmes de thyroïde, polyarthrite rhumatoïde, cancer de l'intestin, etc.[302, 303].

➤ Le psoriasis

Il existe au moins une dizaine de maladies de la peau qui ont un lien avec l'intolérance au gluten: l'urticaire chronique, la vascularite cutanée, l'érythème noueux, le vitiligo, la maladie de Behçet, la dermatomyosite ou le lichen plan[304]. L'une d'elles touche près de 3 % des Français, soit environ 1,8 million de personnes, c'est le psoriasis. Cette maladie était déjà décrite par Hippocrate, 400 ans av. J.-C. Elle est donc très ancienne et on ignore à quel moment elle est réellement apparue. Il faudra néanmoins attendre 1841 pour que Ferdinand Ritter von Hebra, un dermatologue viennois, décrive complètement la maladie et lui donne le nom de psoriasis, *psora* étant tiré du grec et signifiant «qui gratte». Deux types de psoriasis ont été identifiés: le psoriasis en plaques et le psoriasis pustuleux.

La maladie se caractérise par des zones (plaques ou pustules) de peau rougie ou blanche très inesthétiques qui peuvent provoquer des douleurs et d'importantes démangeaisons. Il s'agit d'une maladie inflammatoire que certains considèrent aujourd'hui comme auto-immune et qui évolue par poussées entrecoupées de périodes de rémission. Les traitements médicamenteux classiques ne permettent pas généralement de guérir la maladie et les poussées sont fréquemment déclenchées à la suite d'un événement stressant, ce qui explique que pendant longtemps les malades ont systématiquement entendu cette phrase sortir de la bouche des médecins et de l'entourage : « C'est le stress. » Pour peu que vous soyez également victime d'un côlon irritable et vous voilà déjà traînant votre dossard : « personne stressée et angoissée, attention ! » Cela va sans dire, si le côlon détraqué ne vous stressait pas suffisamment, les jolies plaques rouges achèveront le travail pour finir de vous convaincre que l'apparition de la maladie est entièrement de votre faute…

Fort heureusement, la médecine avance et, depuis quinze ans, des éléments clés ont été mis en évidence comme l'existence de nombreuses susceptibilités génétiques liées au système HLA[305, 306] (système fondamental qui permet la reconnaissance par le système immunitaire des substances étrangères à l'organisme) et de nombreuses perturbations du système immunitaire[307, 308]. Si on ajoute à cela que les traitements les plus efficaces agissent au niveau immunitaire, soit en supprimant son action, soit en la modifiant[309, 310] (avec leur lot d'effets indésirables pires que la maladie elle-même) et qu'une équipe de chercheurs suédois a montré dès 1996 que les malades avaient également une activité anormale des globules blancs (nos défenses naturelles) au niveau du système digestif[311], alors le stress retrouve son rôle : celui d'un simple facteur déclenchant et aggravant[312]. Ça n'est donc plus le stress mais la possibilité d'une réaction immunitaire face à un corps étranger qui s'impose. Cette théorie est la plus plausible si on en croit les dernières recherches publiées dans la célèbre revue médicale *Nature*[313, 314]. Ce corps étranger pourrait-il être le gluten ?

En fait, le psoriasis peut être la seule manifestation d'une intolérance au gluten[315] et plusieurs études ont mis en évidence des cas fréquents de psoriasis associés à une maladie cœliaque silencieuse[316, 317] ou associés simplement à la présence d'anticorps dirigés contre la gliadine du blé[318, 319, 320] (pas de maladie cœliaque avérée). Il y a donc fréquemment une réaction immunitaire dirigée contre les protéines du blé, même sans symptômes digestifs.

Dès 2006, une équipe de chercheurs français spécialisés en dermatologie à l'université de Franche-Comté soulignait la fréquence élevée de l'intolérance au gluten dans les problèmes de peau et suggérait de rechercher systématiquement ces anticorps en cas de psoriasis ou d'eczéma[321]. Étrangement, ces conseils ne sont pas relayés par les experts au niveau national. Au lieu de soigner la cause du problème, beaucoup se retrouvent avec une panoplie de cachets et de crèmes pour diminuer les taches, limiter les démangeaisons ou contrôler le stress, avec à la clef de grandes chances de finir par développer une autre maladie auto-immune ou un cancer, comme ce peut être le cas en cas d'intolérance au gluten silencieuse (voir p. 68).

Les personnes touchées par le psoriasis ont beaucoup plus de risques de développer des maladies cardio-vasculaires[322], la sclérose en plaques ou une affection auto-immune de la thyroïde[323].

Quand on supprime le gluten

L'amélioration du psoriasis avec la mise en place d'un régime sans gluten a été mise en évidence dans de nombreuses études.

Des chercheurs italiens ont pu constater une disparition complète de la maladie en un temps record chez un homme réfractaire à tous les traitements médicamenteux[324].

Même chose sur six personnes suivies par des chercheurs suédois et qui souffraient de psoriasis sévère (dont une depuis trente-sept ans)[325]. Mais la guérison n'est pas systématique ; il arrive fréquemment que les symptômes ne diminuent que de 50 % avec l'élimination du gluten[326, 327]. C'est donc deux fois moins de plaques rouges, deux fois moins de démangeaisons, deux fois moins de stress et aucun effet secondaire. Il est probable que le gluten joue un rôle au niveau intestinal en augmentant la perméabilité du grêle et en permettant ainsi à d'autres molécules de passer dans la circulation où elles provoquent une réaction immunitaire à l'origine du psoriasis[328]. Le gluten n'est donc pas la cause unique, mais un élément déterminant qui rend l'intestin poreux et qui permet le déclenchement de la maladie. On s'attachera donc à retrouver une bonne santé intestinale, ce qui passe par l'éviction du gluten, mais pas uniquement, comme nous le verrons au chapitre « Une vie sans blé ».

➤ L'eczéma

Pour finir, il y a une dernière maladie dont il me semble important de parler ; c'est la dermatite atopique, aussi appelée eczéma atopique. Il s'agit d'une maladie inflammatoire de la peau qui peut être sévère et nécessiter des traitements lourds. Et comme un bonheur n'arrive jamais seul, l'eczéma s'accompagne fréquemment d'un asthme et d'une rhinite (typiquement il s'agit de la rhinite allergique saisonnière). Chez les personnes atteintes d'eczéma, lorsque le système immunitaire est confronté à des allergènes, celui-ci réagit de manière « excessive » pour une raison inconnue. Ces réactions de type allergique provoquent des lésions cutanées : zones sèches, enflammées, démangeaisons, etc. La maladie se déclenche le plus souvent dans la petite enfance.

Un élément fondamental du traitement consiste simplement à supprimer l'exposition aux allergènes. À cet âge, ce sont fréquemment les protéines de lait qui sont en cause, et l'eczéma peut fortement s'améliorer avec le passage à un lait hypoallergénique. Mais en grandissant, les personnes atopiques se retrouvent confrontées à un grand nombre d'allergènes potentiels, principalement alimentaires, mais aussi environnementaux (produits cosmétiques chimiques, allergies à certains textiles, etc.), ce qui rend les choses plus compliquées.

La flore bactérienne intestinale semble jouer un rôle capital dans la maladie[329], car certains probiotiques semblent capables de diminuer très fortement les symptômes, chez les enfants[330] comme chez les adultes[331]. Il n'est donc pas étonnant que la dermatite atopique frappe plus souvent les personnes intolérantes au gluten[332] : l'intestin poreux permet le passage d'allergènes qui vont alors déclencher l'activation du système immunitaire. Bien que peu d'études aient été menées sur la question, il semble que presque 100 % des personnes atopiques soient allergiques au blé, au seigle, à l'orge et à l'avoine[333]. L'allergie fait intervenir un mécanisme immunitaire distinct de celui de la maladie cœliaque et, dans le cas de l'allergie, on ne retrouve pas les complications associées à l'intolérance au gluten asymptomatique (cancers, maladies auto-immunes, etc.). Bonne nouvelle. Néanmoins, les manifestations allergiques sur terrain atopique ne sont pas anodines, en particulier lorsqu'elles sont compliquées d'un asthme : si l'inflammation des voies aériennes n'est pas (ou mal) traitée et qu'elle devient chronique, l'asthme peut évoluer vers une insuffisance respiratoire. L'insuffisance respiratoire, c'est lorsque vos poumons sont trop endommagés pour permettre l'oxygénation normale de l'organisme. À ce stade, une oxygénation à l'aide d'un appareil, un respirateur, peut être nécessaire.

La prévention de l'asthme me semble indispensable, car les médicaments ne contrôlent pas toujours la maladie et présentent parfois de sérieux effets secondaires (prise de poids, désordres immunitaires et hormonaux avec les anti-inflammatoires les plus puissants).

Vers une compréhension des mécanismes de la dermatite atopique

Le terrain atopique sous-tend plusieurs dysfonctionnements : intestinal, cutané et pulmonaire. Les trois organes incriminés sont constitués de tissus de cellules jointives qui permettent les échanges entre l'intérieur et l'extérieur de l'organisme, qu'on appelle *épithélium*. Les chercheurs n'ont pas encore mis en lumière tous les secrets de la dermatite, mais certains éléments laissent entrevoir les mécanismes qui conduisent à la maladie et par conséquent les moyens de l'améliorer voire de la réduire au silence totalement, sans aucun médicament.

La vitamine B9 : les femmes enceintes qui ont des apports élevés de cette vitamine pendant la grossesse donnent naissance à des enfants chez lesquels le risque d'eczéma est considérablement accru, jusqu'à 85 %[334, 335]. Nous ne sommes pas encore en mesure de comprendre exactement pourquoi, mais il semble que le métabolisme de la vitamine B9 soit perturbé dans l'atopie[336]. La maladie prend donc probablement naissance dans le ventre de la mère. En revanche, à l'âge adulte, la vitamine B9 devient protectrice : moins vous avez de vitamine B9 dans le sang, plus les symptômes d'asthme et d'allergies sont importants[337, 338, 339]. Curieusement, les personnes atopiques ont tendance à manquer plus souvent de vitamine B9 que les autres, comme si elles « consommaient » cette dernière trop rapidement. Ce manque de vitamine B9 se traduit par d'autres symptômes avec par exemple un risque plus élevé d'anémie mégaloblastique, une baisse du taux d'hémoglobine dans le sang provoquée par un manque de vitamine B9[340]. Dans les cas d'eczéma résistant aux traitements classiques, des chercheurs ont eu l'idée saugrenue d'administrer du méthotrexate aux malades[341, 342]. Et ça a marché ! Le méthotrexate est un puissant médicament utilisé dans certaines chimiothérapies anticancéreuses qui inhibe la synthèse d'ADN, d'ARN, de protéines et qui provoque un effondrement immunitaire. Essayez donc de frapper une église avec une bombe atomique, les chances de succès semblent assez grandes. Quoi qu'il en soit, le méthotrexate a aussi la particularité de bloquer l'activation de la vitamine B9, ce qui oblige à accompagner le traitement d'une supplémentation en vitamine B9, rien d'étonnant dès lors à ce que cette stratégie soit efficace. Pour finir, des études en laboratoires ont montré que la vitamine B9 joue un rôle dans l'activation de certains gènes au niveau de l'épithélium intestinal qui régulent l'activité du système immunitaire[343, 344].

La vitamine D : les femmes enceintes qui manquent de vitamine D ont un risque très élevé de donner naissance à un enfant qui souffrira d'eczéma[345]. Une fois la maladie déclenchée, la sévérité des symptômes, chez l'enfant comme chez l'adulte, est inversement associée au statut en vitamine D[346, 347]. Compte tenu des connaissances actuelles sur la vitamine D et son rôle majeur dans la régulation des fonctions du système immunitaire, cette piste a retenu toute l'attention des chercheurs qui ont lancé plusieurs études de supplémentation en vitamine D. Cette vitamine diminue-t-elle les symptômes de la dermatite atopique? La réponse est oui, et parfois de manière spectaculaire[348, 349]. Bien qu'on n'en comprenne pas encore le lien, il est d'ailleurs curieux de noter que la vitamine D interagit avec la vitamine B9 et contrôle son absorption[350].

La vitamine E : pour finir, des études prometteuses ont montré que plus les apports en vitamine E sont élevés, plus les symptômes de la dermatite sont faibles[351, 352] en particulier lorsqu'on l'associe à de la vitamine D. L'amélioration des symptômes peut atteindre plus de 60 %, même dans des formes graves[353].

La vitamine E est tout simplement l'antioxydant le plus présent au niveau de l'épiderme, il joue donc un rôle important dans la structure de l'épithélium et le maintien de jonctions efficaces[354].

Pour traiter la dermatite, il faudrait limiter l'exposition aux allergènes d'une part (éventuellement déterminés par des tests chez un allergologue) et renforcer les barrières épithéliales d'autre part. La suppression du blé et des céréales contenant du gluten permettra de diminuer la perméabilité intestinale (certaines personnes suppriment également les produits laitiers). La supplémentation en vitamine D et en vitamine E permettra de renforcer les jonctions épithéliales et de calmer le système immunitaire hyperactif. Pour finir, la supplémentation en vitamine B9 restaurera ce métabolisme anormal. Dans tous les cas, ces mesures simples sont compatibles avec les traitements médicamenteux classiques, et elles peuvent permettre d'en réduire les doses, même dans les cas sévères.

Troisième partie

Comment conserver ou retrouver sa santé

Chapitre 1
Une vie sans blé

« *On ne peut plus manger de blé, car il contient du gluten toxique, on ne peut plus manger de laitages, car ils augmenteraient le risque de cancers, on ne peut plus manger de poissons, car ils sont contaminés par les métaux lourds, on ne peut plus manger de viande rouge, car elle augmente le risque de cancer, on ne peut plus acheter de boîtes de conserve, car elles sont polluées par le bisphénol A, on ne peut plus rien manger* ! » Voilà en substance ce qu'on me dit couramment. Nous vivons effectivement dans un environnement pollué avec des aliments dénaturés, des produits chimiques et des médicaments toxiques. Mais faut-il rester les bras croisés ? Faut-il être fataliste ? Le risque d'avoir un enfant autiste à cause de produits toxiques est-il acceptable ? Certes, on ne peut pas tout maîtriser ni écarter tous les risques, mais est-ce une raison pour manger n'importe quoi et, le cas échéant, avaler des médicaments les yeux fermés ? Si de simples changements dans votre mode de vie peuvent permettre de diminuer vos risques de maladies et d'améliorer votre qualité de vie, pourquoi ne pas faire un petit effort ? S'il n'est pas facile de contrôler notre exposition aux polluants, il est en revanche particulièrement aisé de faire de bons choix alimentaires.

Le blé est impliqué dans une pléthore de maladies que ce livre n'aborde que partiellement. Chaque jour, la recherche avance, et de nouvelles preuves permettent de relier une maladie ou des symptômes à une intolérance au gluten. Il y a cinquante ans, celui qui aurait osé avancer un lien entre le gluten et la thyroïdite de Hashimoto (maladie auto-immune de la glande thyroïde) aurait été taxé de fou ou de charlatan. Aujourd'hui, ce lien est unanimement reconnu par les chercheurs. Compte tenu de l'impact majeur du gluten sur la santé intestinale, une vie sans blé, et plus généralement sans gluten, ne peut que renforcer votre barrière intestinale et vous protéger de nombreuses maladies.

Si vous êtes déjà malade, la suppression du gluten peut faire disparaître complètement l'ensemble de vos troubles ou les diminuer très fortement (maladies auto-immunes). Une vie sans blé peut vous permettre de gagner considérablement en qualité de vie, c'est-à-dire d'augmenter votre espérance de vie sans incapacité : tout simplement, vivre mieux. Peut-être ne vous êtes-vous pas reconnu à la lecture de ce livre, peut-être votre problème de santé n'a-t-il pas été mentionné, peut-être même qu'en fouillant toute la littérature médicale je ne trouverais aucune trace d'un lien entre le gluten et vos symptômes. Mais tout est possible à partir du moment où des macromolécules pénètrent anormalement dans l'organisme. Quel que soit votre problème de santé et même si vous n'en avez pas, je vous engage fortement à faire l'essai d'une alimentation sans gluten pendant au moins trois mois. Vous risquez d'être très surpris par le bénéfice obtenu qui peut-être se manifestera « uniquement » par un mieux-être général, plus d'énergie, moins de stress ou une meilleure humeur. Si l'alimentation sans gluten ne vous confère aucun bénéfice au bout de plusieurs mois alors... Continuez ! Conservez les bonnes habitudes ! Vous pouvez réintroduire occasionnellement des céréales contenant du gluten si vous

Faut-il faire un dosage biologique avant de démarrer un régime ?

Autrement dit, dois-je effectuer une prise de sang pour rechercher les anticorps de la maladie cœliaque avant de démarrer un régime sans gluten ?

La recherche des anticorps de la maladie cœliaque comme expliqué à la p. 71 peut être utile pour dépister la maladie cœliaque. Elle peut être utile également dans le cas où vous souffrez d'une maladie auto-immune parmi celles présentées dans la deuxième partie de ce livre, car celle-ci peut révéler une intolérance au gluten cachée. Néanmoins, si les résultats sont négatifs, cela ne permet pas d'exclure une sensibilité au gluten à l'origine de problèmes articulaires, cutanés, psychologiques ou généraux.

Une recherche d'anticorps IgG dirigés contre la gliadine du blé pourrait encore améliorer les chances d'en savoir plus sur le comportement de votre système immunitaire face au blé, mais pas complètement ! Il existe en effet des études qui montrent la présence claire d'une maladie cœliaque alors que tous les marqueurs immunologiques connus sont négatifs[1].

Des progrès médicaux doivent être réalisés pour parvenir à mieux diagnostiquer l'ensemble des maladies liées au gluten.

Une prise de sang dont le résultat serait positif pourrait vous inciter à suivre avec plus de rigueur une alimentation sans gluten (ce qui n'est pas toujours évident en France) et vous auriez la certitude d'éviter une maladie auto-immune incontrôlable ou un cancer. Pour conclure, la prise de sang peut vous aider dans certains cas, mais la plupart du temps, elle ne sera d'aucune utilité. Le plus simple consiste à suivre une alimentation sans gluten (voir p. 157) pendant au moins trois mois et à observer l'évolution de votre état de santé. En agissant ainsi, vous agissez seul, sans dépenser un seul centime et sans faire appel ni à votre médecin ni à la Sécurité sociale dont le déficit inspire la plus grande consternation.

le souhaitez, mais en mangeant moins de gluten, vous rendrez service à votre intestin et vous agirez de manière simple pour limiter la prévalence de maladies à long terme et en particulier de celles mentionnées au chapitre précédant.

Toutefois, il faut être réaliste : le blé n'est pas à l'origine de tous les maux et la plupart des maladies sont d'origine multifactorielle. Supprimer le gluten peut permettre de « réduire au silence » certaines maladies ou certains symptômes, pour reprendre l'expression du biologiste Jean-Marie Magnien, mais pas toujours. C'est pourquoi, dans le chapitre 3, je donnerai des conseils spécifiques aux principaux problèmes de santé mentionnés dans ce livre.

Les céréales à écarter

L'alimentation sans gluten consiste traditionnellement à ne consommer ni blé, ni avoine, ni orge, ni épeautre, ni kamut, ni seigle. Depuis quelques années, on voit de plus en plus de personnes recommander l'avoine ou le petit épeautre (blé à quatorze chromosomes seulement) qui seraient « *moins toxique* ». En vérité les études les plus récentes montrent que les prolamines de l'avoine sont toxiques, mais que certaines variétés d'avoine sont moins toxiques que d'autres[2, 3] mais en tant que consommateurs il nous est impossible de distinguer les sous-variétés en regardant simplement le paquet de céréales et donc impossible de savoir à l'avance si l'aliment que vous avez devant les yeux sera toxique ou pas.

L'avoine doit impérativement être exclue d'une alimentation sans gluten.

Les choses se compliquent encore lorsqu'on s'attarde sur la toxicité des prolamines de plantes qui ne contiennent pas de gluten, mais simplement des prolamines. Par exemple le quinoa n'est pas une céréale, mais contient des prolamines et, comme l'avoine, il semble qu'il puisse parfois stimuler une réponse immunitaire en cas d'intolérance au gluten[4]. Ces éléments peu connus sont peut-être l'explication de l'échec de certains régimes sans gluten, quel que soit l'objectif de santé visé.

Pour la sensibilité, nous n'avons pas de données.

Mais rassurez-vous, vous ne serez pas obligé de vivre d'amour et d'eau fraîche. Dans le chapitre 3 (p. 157) je vous expliquerai comment concrètement mettre en place une alimentation sans gluten.

J'ai aussi interrogé le plus grand spécialiste de l'intolérance au gluten, le Dr Alessio Fasano, directeur du centre de recherche sur la maladie cœliaque et du centre de recherche en biologie et en immunité muqueuse à l'hôpital général pour enfants du Massachusetts aux États-Unis.

Quatre questions au Dr Alessio Fasano

La maladie cœliaque (intolérance au gluten) touche 1 à 3 % de la population mondiale, ce qui est déjà colossal. D'après vous, combien de personnes sont concernées par la *sensibilité* au gluten ?

« La sensibilité au gluten, un problème différent de l'intolérance au gluten, est quelque chose que nous commençons à peine à comprendre. Les données préliminaires issues de mon centre de recherche montrent qu'environ 6 % des Américains, soit 18 millions de personnes, souffrent de sensibilité au gluten, au minimum. Pour obtenir des chiffres plus précis, il faut que de nouvelles études épidémiologiques soient lancées. »

Le blé a subi de nombreuses transformations depuis la Révolution verte ; il contient notamment beaucoup plus de gluten. Pensez-vous que le blé moderne est plus dangereux que le blé ancestral ?
« Le blé ancestral contient moins de gluten que le blé moderne. C'est tout ce que nous savons avec certitude. Nous pouvons juste dire que plus il y a de gluten dans le blé, plus vous avez de risques d'avoir des problèmes de santé en le consommant si vous êtes sensible au gluten. »

En France nous pouvons acheter du blé « quasi ancestral », le petit épeautre de Haute-Provence, le recommanderiez-vous ?
« Non, je ne le recommanderais pas. Chez les personnes intolérantes au gluten, même une quantité infime de protéines est suffisante pour déclencher une réaction. Dans le cas d'une sensibilité au gluten, les mécanismes immunitaires sont différents, la consommation de petit épeautre est peut-être envisageable mais, pour l'instant, nous manquons d'éléments pour déterminer le seuil de tolérance. »

Pensez-vous qu'il serait une bonne idée de suivre un régime alimentaire sans gluten si on est en bonne santé dans le but de minimiser son risque de développer une maladie auto-immune ?
« Nous n'avons pas encore assez de données pour pouvoir affirmer cela. Il semblerait en effet que chez les personnes génétiquement prédisposées à la maladie cœliaque, la consommation de gluten facilite l'apparition d'autres maladies auto-immunes telles que la sclérose en plaques ou le diabète de type 1. Mais pour la population générale, nous manquons d'informations pour justifier sans équivoque cette démarche. »

Peut-être pensez-vous qu'il est difficile de suivre une alimentation sans gluten ? Peut-être êtes-vous sceptique sur les bienfaits de ce régime sur votre état de santé ? Et si vous essayiez ? Quel risque prenez-vous en testant cette nouvelle alimentation pendant quelques mois ? Si un simple régime alimentaire vous permettait à terme de supprimer tout ou partie d'un traitement médicamenteux en raison d'un meilleur état de santé, est-ce que cela ne vaudrait pas le coup d'essayer ? Si un simple régime alimentaire pouvait vous protéger de maladies incurables, est-ce que cela ne vaudrait pas le coup d'essayer ? Vivez dangereusement, soyez un héros aventurier : essayez un régime sans gluten !

Chapitre 2
Changer ses habitudes

Savez-vous pourquoi certains fast-foods offrent des jouets avec les menus pour enfants ? Est-ce par amour pour nos chères têtes blondes ? Il y a deux raisons à cela : premièrement, cela permet à l'enfant de s'amuser lorsqu'il mange son menu, il sollicitera ainsi plus facilement ses parents pour revenir dans cet établissement. Deuxièmement, les passages répétés pendant l'enfance dans un lieu chargé de souvenirs positifs vont nous conditionner de sorte que nous ayons ensuite l'envie d'y emmener nos propres enfants. Ainsi, pour protéger la santé des enfants, le gouvernement californien a-t-il interdit en avril 2010 la présence de jouets dans les menus pour enfants « Happy Meal » de la chaîne de restauration rapide Macdonald. Cette association inconsciente entre le jouet, la nourriture et le fast-food est une forme de manipulation mentale qu'on appelle en psychologie le **conditionnement évaluatif**. Ce terme barbare désigne l'influence d'un environnement ou d'une représentation sur un choix situé à proximité. Cette notion est largement utilisée par la publicité. Par exemple : vous êtes un fan inconditionnel de Gérard Depardieu et vous voyez une publicité à la télévision dans laquelle il se délecte d'un verre de lait. Inconsciemment, si vous trouvez Gérard Depardieu sympathique, votre esprit aura tendance à associer l'homme et l'objet et vous aurez tendance à acheter plus souvent du lait en faisant vos courses. Ces méthodes sont utilisées en particulier sur les enfants, car les influences alimentaires créées à leur âge ont tendance à persister à l'âge adulte. C'est l'exemple du cadeau avec un menu ou de la mise à disposition d'une aire de jeu dans un restaurant.

Le conditionnement évaluatif est une conséquence naturelle de l'évolution : en termes d'alimentation, il est constaté pour tout ce qui touche au goût et, dans une moindre mesure, à l'odeur. Par exemple, un aliment qui provoquerait une nausée après son ingestion conduirait à modifier notre goût et nous finirions par ne plus l'aimer[5]. Cet effet est constaté dans une moindre mesure avec l'odeur[6]. Il est probable que ces réactions naturelles ont pour objectif d'éviter un empoisonnement dans la nature en apprenant à rapidement déterminer la dangerosité ou l'innocuité d'un aliment. Chez l'homme, un conditionnement évaluatif bien placé peut être efficace immédiatement et pour très longtemps : par exemple si la consommation d'un morceau de poisson entraîne des nausées fortes et immédiates, vous risquez de ne plus avoir envie d'en manger pendant de longs mois. Beaucoup de gens connaissent ce phénomène après avoir été victimes d'une intoxication alimentaire. Ce conditionnement a fait l'objet de nombreuses recherches et il est d'une importance fondamentale pour les industriels. Par exemple, il a été mis en évidence que servir le même repas dans un plat de couleur noire ou blanche modifie la perception du goût radicalement (l'aliment servi sur le plat blanc ayant l'air significativement meilleur)[7]. La forme du plat pourrait également avoir une influence[8]. Plus récemment, les chercheurs ont montré que les informations qui figurent sur l'emballage concernant la qualité nutritionnelle d'un produit influençaient significativement le

goût perçu. Un produit biologique par exemple, si le label AB est perçu comme « sain et bon pour la santé » aura plus de chances d'être acheté et d'être perçu comme bon si l'acheteur a une image positive et saine des produits biologiques. Si l'information nutritionnelle indique clairement la présence d'un édulcorant dans un produit sucré (édulcorants qui ont souvent une mauvaise image), les consommateurs ont plus tendance à trouver le produit fade et moins goûteux[9]. Tous ces exemples obéissent au même schéma de conditionnement. Le conditionnement évaluatif de l'alimentation peut être conscient ou inconscient mais, le plus souvent, c'est un phénomène inconscient. Alors aimez-vous réellement le pain et les pâtes ou êtes-vous conditionné ? Si vous ne pouvez pas prendre un petit déjeuner sans pain ni viennoiseries, vous êtes probablement déjà intoxiqué par les glutéomorphines du blé (voir p. 115) et vous êtes aussi probablement intoxiqué par la publicité et le conditionnement de votre enfance au cours de laquelle le pain occupait une place centrale sur la table.

Apprendre à se déconditionner

Envie de vous faire plaisir ce week-end ? À quoi pensez-vous ? Une soupe de cresson ? Une salade verte ? Non, un bon plat de pâtes ou une bonne pizza ! Mais à quoi pense un Coréen ? À de la viande marinée et grillée, du kimchi (légumes fermentés pimentés), du riz aux algues et une bonne bière. Et si nous étions nés en Corée ? Penserions-nous à des pizzas pour le week-end ? Non, nous penserions comme les Coréens. Ce que vous pensez être vos goûts et vos préférences alimentaires ne le sont pas réellement, il s'agit avant tout d'un conditionnement culturel et familial.

Manger sans gluten, c'est sortir de ce conditionnement, c'est apprendre à redécouvrir la notion de plaisir avec d'autres aliments.

C'est un véritable parcours intérieur, mais ce cheminement est tout simplement passionnant, car c'est le seul qui vous permettra de construire une identité alimentaire qui vous corresponde parfaitement, en s'affranchissant partiellement d'un conditionnement mental dans lequel nous baignons tous naturellement.

La première étape de ce cheminement est la découverte : apprenez à découvrir les nombreux ingrédients et aliments que vous ne connaissiez pas jusqu'à présent, essayez de nouvelles recettes, découvrez, cultivez vos papilles et vos sens. Avez-vous déjà goûté à des spaghettis classiques (à base de farine blanche) sans assaisonnement, juste après la cuisson ? Oui, ça n'a aucun goût. Avez-vous déjà goûté à du sarrasin ou des pois chiches juste après cuisson ? Oui, c'est très fort en goût. Non seulement le blé n'a pas d'intérêt pour la santé, il a aussi peu d'intérêt gustatif. Dorénavant, il ne faudra pas chercher à acheter des pâtes sans gluten ou du pain sans gluten, ces produits coûtent cher et n'auront jamais le goût que vous imaginiez. Il faudra chercher à manger différemment, découvrir de nouveaux produits et créer de nouvelles habitudes. Les fines galettes de sarrasin (« pain des fleurs » pour ne pas le citer) pourront par exemple prendre la place du pain. Mais qu'en est-il des valeurs nutritionnelles ?

Les tableaux suivants présentent les différences nutritionnelles entre trois produits à base de blé et trois féculents sans gluten. Elles sont sans équivoques.

Pain blanc (pour 100 g)		Patate douce (pour 100 g)	
Fibres	3 g	Fibres	3 g
Bêta-carotène	0 UI	Bêta-carotène	**19 217 UI**
Vitamin C	0 mg	Vitamine C	**19.6 mg**
Vitamine B1	0,08 mg	Vitamine B1	**0,1 mg**
Vitamine B6	0,07 mg	Vitamine B6	**0,3 mg**
Vitamine B9	**20 µg**	Vitamine B9	6 µg
Magnésium	19 mg	Magnésium	**27 mg**
Potassium	158 mg	Potassium	**475 mg**
Calcium	**52 mg**	Calcium	38 mg
Zinc	**0,73 mg**	Zinc	0,3 mg

Pain complet (pour 100 g)	
Fibres	5,6 g
Bêta-carotène	0 UI
Vitamine C	0 mg
Vitamine B1	0,09 mg
Vitamine B6	0,38 mg
Vitamine B9	30 µg
Magnésium	108 mg
Potassium	291 mg
Calcium	150 mg
Zinc	**3,93 mg**

Pois chiches (pour 100 g)	
Fibres	**8 g**
Bêta-carotène	**27 UI**
Vitamine C	**1,3 mg**
Vitamine B1	**0,1 mg**
Vitamine B6	0,1 mg
Vitamine B9	**172 µg**
Magnésium	**48 mg**
Potassium	**291 mg**
Calcium	49 mg
Zinc	1,5 mg

Spaghettis (pour 100 g)	
Fibres	2,28 g
Bêta-carotène	0 UI
Vitamine C	0 mg
Vitamine B1	0,06 mg
Vitamine B6	0 mg
Vitamine B9	6,9 µg
Magnésium	24,5 mg
Potassium	51,7 mg
Calcium	16,5 mg
Zinc	0 mg

Sarrasin (pour 100 g)	
Fibres	**10 g**
Bêta-carotène	0 UI
Vitamine C	0 mg
Vitamine B1	**0,1 mg**
Vitamine B6	**0,2 mg**
Vitamine B9	**30 µg**
Magnésium	**231 mg**
Potassium	**460 mg**
Calcium	**18 mg**
Zinc	**2,4 mg**

Chapitre 3
Comment manger sans blé

Les conseils donnés ci-dessous sont d'ordre général. Dans un deuxième temps, je compléterai ces informations par des conseils spécifiques.

- **Bien choisir ses viandes** : privilégiez les viandes maigres (filet de poulet, dinde, viande de bœuf à 5 % de matières grasses) et les viandes blanches (lapin, veau, filet de porc). Adaptez votre consommation de viande rouge à votre activité physique :

  - jusqu'à une portion par jour en cas d'activité physique intense (un entraînement par jour) ;

  - zéro à deux portions de viande rouge par semaine suffisent la plupart du temps.

- **Bien choisir ses poissons** : privilégiez les poissons gras qui se situent au début de la chaîne alimentaire, car ils accumulent moins de métaux lourds et de polluants. C'est-à-dire : sardines, maquereaux, anchois, harengs et plus modérément saumon. Les poissons maigres ne présentent pas les mêmes dangers en termes de contamination, car les polluants se stockent préférentiellement dans les graisses. Les autres poissons gras et les mollusques sont à consommer de manière moins régulière.

- **Bien choisir ses œufs** : contrairement à une idée reçue, le cholestérol des œufs n'a pas d'influence sur le taux de cholestérol sanguin et la consommation quotidienne d'œufs entiers n'augmente pas le risque de maladies cardio-vasculaires. Les études régulièrement relayées par la presse pour faire les gros titres à sensation comportent toutes de sérieuses failles méthodologiques. Lorsqu'une étude de qualité est publiée dans une revue médicale, comme la récente méta-analyse de janvier 2013 à laquelle ont participé les chercheurs de Harvard[10], aucun média n'en parle ! Vous pouvez manger des œufs entiers quotidiennement sans inquiétude, à condition qu'ils soient biologiques ou issus de la filière « bleu blanc cœur » pour leur plus grande teneur en acides gras oméga-3 et chez un certain nombre de personnes, pour leur meilleure digestion (pas de flatulences).

- **Bien choisir ses produits laitiers** : l'étude de l'évolution de l'homme nous a appris que la consommation de laitages est particulièrement récente dans l'histoire de l'alimentation. De plus les chercheurs ont pu mettre en évidence que les protéines laitières perturbent la production de zonuline et donc contribuent à rendre notre intestin perméable. Ce qu'il faut retenir, c'est qu'il s'agit d'aliments « plaisir » qui ne sont pas indispensables et ne doivent donc pas être un socle alimentaire comme veulent nous l'inculquer certains messages de santé publique, sans être nécessairement exclus, à l'exception de pathologies spécifiques. On essaiera de limiter les produits laitiers gras (beurre, fromages), car ils ne sont pas une source d'acides gras intéressants pour la santé. Une consommation excessive est à proscrire, car diverses caractéristiques du lait moderne pourraient augmenter le risque de certains cancers (en particulier le cancer de la prostate chez l'homme et le cancer des ovaires chez la femme).

- **Bien choisir ses légumes** : contrairement aux laitages, ils sont indispensables et ont été consommés par l'homme dès le premier jour. C'est la base de l'alimentation : ils sont riches en vitamines, minéraux et antioxydants. Ils sont à consommer à volonté. Notez que chaque couleur correspond généralement à la présence d'un pigment colorant différent aux propriétés distinctes. Ils peuvent être consommés crus ou cuits, mais une cuisson douce permet de mieux préserver les vitamines. Les légumes doivent toujours être accompagnés de matières grasses (filet d'huile d'olive par exemple), car les graisses augmentent fortement la biodisponibilité de certains composés bénéfiques tels que les caroténoïdes.

- **Bien choisir ses fruits** : ils possèdent de nombreuses qualités communes aux légumes, mais sont plus riches en glucides. Préférez-les toujours frais, intacts ou surgelés. Les compotes sans sucre ajouté (« purée de fruits ») sont également de bons choix.

- **Bien choisir ses oléagineux** : les noix et graines oléagineuses sont intéressantes, car elles apportent (généralement) de bonnes graisses, des fibres, des quantités importantes d'oligo-éléments et de vitamine E. Elles diffèrent fortement par leur composition en acides gras ; on évitera de consommer autre chose que des noix de Grenoble ou du Périgord, des noix de macadamia, des noisettes, des pistaches et des amandes. On évitera les produits « grillés » et salés vendus en grande surface, car la chaleur oxyde les graisses qui passent d'un état bénéfique à un état néfaste pour la santé, et l'excès de sel est une mauvaise nouvelle pour le cœur.

- **Bien choisir ses épices et aromates** : trop souvent délaissés, ils peuvent transformer un plat ennuyant en chef-d'œuvre. Utilisez-les comme vous le souhaitez, mais attention, dans le cadre d'une maladie avec perturbation importante de l'intestin, les épices sont à proscrire pendant les premiers mois, car elles peuvent augmenter légèrement la perméabilité intestinale. C'est le cas notamment du piment, du poivre de cayenne, du paprika et probablement d'autres épices non identifiées à ce jour[11, 12]. Il existe néanmoins une exception, c'est le curcuma. Ce dernier semble protéger les jonctions serrées et diminuer la perméabilité intestinale[13, 14]. Après environ trois mois de régime sans gluten, la perméabilité intestinale devrait être revenue à la normale et les épices pourront être réintroduites.

- **Bien choisir ses légumineuses** : On retrouve dans cette catégorie les lentilles, haricots rouges, pois cassés ou encore les pois chiches. Tous les aliments de cette famille possèdent des propriétés exceptionnelles par leur richesse en fibres, minéraux, vitamines, antioxydants et leur index glycémique bas. Comme les céréales, elles sont pourvoyeuses d'antinutriments comme les lectines, l'acide phytique ou les inhibiteurs de trypsine. Il faut donc impérativement les cuire, en évitant les cuissons douces (pas de cuisson vapeur ou à basse température). Pour diminuer encore les facteurs antinutritionnels, il est vivement conseillé de faire tremper les légumineuses dans de l'eau chaude pendant une nuit[15]. Ce trempage permet également de réduire légèrement le temps de cuisson[16].

- **Bien choisir ses céréales** : on évitera toutes les céréales qui contiennent des prolamines toxiques et celles pour lesquelles il existe un doute : **le blé, le seigle, l'orge, l'avoine, l'épeautre, le kamut, le petit épeautre** ce qui inclut donc toutes les farines, pâtes, couscous, pains, biscottes, ou gâteaux fabriquées à partir de ces céréales. Dans certains cas (voir plus loin), ces conseils pourront s'assouplir une fois passée une première période de remise en bonne santé de l'intestin. On pourra alors consommer du **riz**, du **sarrasin** (pseudo-céréale), du **millet**, de **l'amarante** (pseudo-céréale), le sorgho, le fonio ou le teff.

  On ne consommera pas de **quinoa** ni de **maïs** moderne qui semblent perturber les jonctions serrées[17], bien qu'il s'agisse d'aliments sans gluten. Il ne faut pas oublier qu'il existe d'autres sources de glucides que les céréales telles que les tubercules dont sont friands les habitants de Kitava : **patates douces, manioc, taro, igname, panais** et autres légumes racines. En revanche **les pommes de terre** sont à bannir, car elles augmentent la perméabilité intestinale et semblent particulièrement néfastes en cas de maladie inflammatoire de l'intestin[18]. Attention aux produits autoproclamés « diététiques » : les fameuses galettes de riz soufflées sont certes sans gluten, mais possèdent un index glycémique des plus élevés : 82.

- **Bien choisir ses matières grasses** : privilégiez les matières grasses végétales pour la cuisson et l'assaisonnement (en lieu et place du beurre et des margarines). Certaines huiles sont à éviter, car leurs acides gras perturbent les jonctions serrées et augmentent la perméabilité intestinale : les huiles de maïs, tournesol, soja, pépins de raisin ou de carthame[19]. On choisira donc plutôt des huiles aux propriétés intéressantes : **huile d'olive, de colza**, de macadamia, de lin ou de noisettes et plus rarement huile de noix. Ces huiles sont utilisables pour la cuisson et l'assaisonnement sauf l'huile de lin qui ne doit pas être chauffée, on la conservera d'ailleurs toujours au réfrigérateur. D'une manière générale on évitera au maximum les fritures qui sont une source importante d'AGE, produits avancés de la glycation (voir p. 101) et qui semblent aussi abîmer notre intestin[20]. À proscrire en cas de rectocolite ou de maladie de Crohn.

- **Bien choisir ses boissons** : on privilégiera l'eau, peu importe son origine (plate, en bouteille ou du robinet). Apprenez à écouter votre corps en buvant à votre soif. Contrairement à une idée reçue, la soif est le premier et le plus fiable indicateur d'un manque d'eau. Néanmoins le signal de la soif est moins fiable pendant un effort physique, certaines maladies, la prise de certains médicaments ou avec l'âge : dans ces cas on peut boire avant d'avoir soif. Le café peut être consommé à volonté en dehors des repas. Le thé avec plus de modération, car certains sont riches en fluor. On évitera de consommer des jus de fruits à outrance et des sodas tout en gardant en tête qu'un soda light présente peu ou pas de danger comparativement à son homologue sucré.

Il existe en magasin diététique et dans certaines grandes surfaces des produits certifiés « sans gluten » qui sont partiellement remboursés par la Sécurité sociale. Ce remboursement n'est possible que dans le cas d'une maladie cœliaque diagnostiquée par biopsie intestinale et ne peut excéder environ 45 euros par mois. Ces produits spéciaux « sans gluten » ne sont pas recommandables, que vous soyez intolérant ou sensible au gluten, car ils contiennent généralement quantité de farine de maïs, farine de riz et autres glucides à index glycémique très élevé.

➤ Comment procéder

D'une manière générale, on commencera par un régime sans gluten **strict pendant au moins trois mois** pour permettre aux villosités intestinales de se reconstruire. À partir de là les personnes qui le souhaitent pourront réintroduire le quinoa en observant leurs réactions.

Dans la sensibilité au gluten, il arrive que certaines personnes supportent un peu de gluten. Cette tolérance est individuelle, comme l'explique le Dr Fasano, mais il faut garder à l'esprit que même en l'absence de symptômes, le blé ne devient pas pour autant sain et que la problématique du blé ne se résume pas au gluten comme nous l'avons vu dans les chapitres précédents.

➤ Que penser des tests d'intolérances alimentaires ?

De nombreuses personnes sont attirées par des tests d'intolérances alimentaires. Ces tests, dont les prix sont généralement exorbitants, vous promettent de diagnostiquer les intolérances alimentaires et de vous aider à retrouver la santé. Si l'utilisation de tels outils semble particulièrement intéressante, la réalité des choses est bien moins claire. J'ai interrogé à ce sujet le Dr Habib Chabane, praticien allergologue, expert formateur en immuno-allergologie, président du club d'immuno-allergologie biologique et responsable du groupe de travail de la Société française d'allergologie chargé de donner un avis sur ces tests.

Entretien avec Habib Chabane

Quel est le principe des tests d'intolérances alimentaires ?
« Des constituants alimentaires qui ont subi une extraction aqueuse sont fixés à la surface de petites cupules qu'on remplit avec une petite quantité de sérum de la personne à tester. On observe ensuite s'il y a présence d'anticorps, les immunoglobulines G (IgG), dirigés contre ces constituants et en quelle quantité. Il existe aussi un test utilisant une biopuce de moins d'un centimètre carré permettant de doser 220 aliments. »

Est-ce une bonne technique pour détecter des intolérances/ sensibilités alimentaires ?
« Ces tests mesurent la présence d'IgG dans leur ensemble. En réalité, il existe quatre sous-classes de ces immunoglobulines, les IgG1, les IgG2, les IgG3 et les IgG4 qui ont toutes des fonctions biologiques distinctes. Ainsi, si les IgG1 peuvent bien être responsables d'une réaction immunitaire d'intolérance, les IgG4 jouent un rôle inverse : de nombreuses études ont pu mettre en évidence qu'ils sont produits pour permettre l'acquisition de la tolérance alimentaire, et non de l'intolérance. Les IgG4 sont pour ainsi dire "anti-inflammatoires". »

Est-ce que cela signifie que ces tests montrent des tolérances plutôt que des intolérances ?
« Pas nécessairement. En fait, ces tests n'offrent aucune information fiable ou suffisante, on ne peut rien en conclure concrètement sur le plan clinique. Par contre, si le test met en évidence une activation d'IgG face à de nombreux aliments (plus de vingt environ) alors il est fort probable que vous ayez une perméabilité intestinale altérée. On retrouve typiquement ce genre de résultats chez les personnes touchées par une maladie inflammatoire chronique intestinale (maladie de Crohn, rectocolite). »

Les personnes qui ont effectué ces tests se plaignent parfois de découvrir une intolérance à un aliment qu'elles n'ont jamais mangé de leur vie, comment est-ce possible ?
« Notre système immunitaire fabrique des anticorps dits spécifiques, comme une clé permettant d'ouvrir une seule serrure. Lorsque vous lui présentez la bonne serrure (une protéine alimentaire) une réaction se produit. Il arrive parfois qu'une clef ouvre une ou plusieurs autres serrures. C'est ce qui se passe avec les réactions allergiques croisées : si vous êtes sensible aux pollens d'arbres de la famille du bouleau, votre système immunitaire peut réagir à la pomme ou à la noisette (réaction croisée). Pourtant cela ne signifie pas que vous êtes automatiquement intolérant aux pommes. Ainsi, la positivité des IgG contre un aliment peut parfois être liée à une réaction croisée et non à une intolérance à l'aliment dont le résultat est positif. »

Justement, comment un test microscopique peut-il détecter une intolérance à de nombreux aliments parfois aussi gros qu'une pomme ?
« Dans ces tests, on utilise des extraits de protéines alimentaires. Mais tout cela n'est soumis à aucune régulation : lorsqu'on teste la tolérance au couscous, de quel type de couscous s'agit-il ? Quelle variété exacte de blé a été utilisée ? Le couscous a-t-il été cuit ? Quelle est la nature des protéines extraites et fixées pour rechercher des IgG ? Même en écartant les problèmes cités plus

haut, les variables sont trop nombreuses pour que le résultat soit fiable et utilisable. »

Certains « experts » préconisent d'effectuer des rotations alimentaires (ne pas consommer les mêmes aliments sur de longues périodes) pour diminuer le risque d'intolérances ou pour les faire disparaître, qu'en pensez-vous ?
« Notre système immunitaire possède une mémoire qui lui permet de réagir de manière plus rapide et plus forte lorsqu'on lui présente un antigène dans un second temps. C'est un principe très utilisé pour les vaccins : les rappels permettent de réveiller et d'amplifier la défense immunitaire acquise. Ainsi, faire des rotations en espérant que le système immunitaire "oublie" est illusoire, cette mémoire cellulaire peut en effet perdurer pendant plusieurs dizaines d'années ou toute la vie (maladie cœliaque). »

Il semble par ailleurs que certaines sociétés utilisent des tests qui n'emploient que les IgG4, ce qui est alors complètement absurde, car il s'agit d'anticorps plutôt à fonction anti-inflammatoire. C'est pour cette raison que les tests d'intolérances alimentaires sont déconseillés par l'Académie européenne d'allergologie et d'immunologie clinique[21]. Pour des chercheurs de Cambridge en Angleterre, ces tests ne sont pas fiables et ils regrettent que des entreprises en tirent un bénéfice financier en mettant en avant auprès du public des études cliniques parcellaires et parfois biaisées[22].

Des compléments alimentaires pour mieux digérer le gluten

Un autre produit visant les personnes intolérantes au gluten commence à faire son apparition, en particulier aux États-Unis : ce sont **les enzymes protéolytiques**. Partant du constat que le système digestif humain est incapable de découper correctement la gliadine du blé, ce qui est à l'origine des problèmes d'intolérance et de sensibilité, des fabricants ont essayé de mettre au point des enzymes, utilisables sous forme de compléments alimentaires, qui achèveraient la découpe du gluten à notre place. Si le concept en théorie est séduisant, la réalité est tout autre. Les études montrent que de tels produits ne permettent pas d'éliminer complètement la toxicité du gluten[23] et les chercheurs déconseillent leur utilisation. Pour les personnes sévèrement intolérantes au gluten, l'utilisation de ces compléments alimentaires peut avoir des conséquences fâcheuses en exposant à nouveau l'intestin au gluten toxique, même si c'est en faible quantité[24].

➤ Apprenez à manger sans gluten avec un livre de recettes

L'alimentation sans gluten n'empêche pas de cuisiner de bons petits plats et il existe de nombreux livres de recettes pour vous guider, je pense notamment à ceux écrits par Christine Calvet ou Valérie Cupillard.

Micronutrition de l'intestin

D'autres facteurs alimentaires sont à prendre en compte pour maintenir un intestin en bonne santé.

- **La caséine** : dans le cas d'une maladie auto-immune ou d'une maladie inflammatoire de l'intestin, la caséine, une protéine laitière, peut être problématique au même titre que le gluten. Les personnes intolérantes au gluten sont également intolérantes à la caséine, dans 50 % des cas[25]. Pour d'autres maladies auto-immunes comme le syndrome de Gougerot-Sjögren, c'est environ 30 % des personnes qui sont concernées[26]. Ceci justifie l'éviction **du lait et des produits laitiers** quand l'intestin est abîmé, en particulier dans le cas d'une maladie auto-immune, quitte à essayer une réintroduction plus tardivement. De même, leur élimination est conseillée en cas de schizophrénie ou de problèmes psychologiques d'origine inconnue, les casomorphines issues de la digestion des protéines laitières pouvant jouer un rôle non négligeable dans ces pathologies.

Des micronutriments sont systématiquement oubliés lors de la prise en charge des intolérants au gluten alors qu'ils contribuent fortement à réduire la perméabilité intestinale et donc le risque de nombreuses maladies.

- **La vitamine D** : depuis dix ans la recherche s'accélère sur cette vitamine. On sait maintenant que son rôle va bien au-delà de la simple santé osseuse : elle pourrait aider à perdre du poids, améliorer l'équilibre, diminuer le risque de dépression et de maladies auto-immunes. Mais c'est son rôle dans la prévention du cancer qui est le plus frappant : selon les chercheurs, un déficit en vitamine D augmente significativement le risque d'au moins quinze cancers[27].

Au niveau intestinal, la vitamine D est l'une des nombreuses substances qui permettent le maintien d'un niveau de perméabilité adéquat [28, 29, 30]. Quand on sait que plus de 80 % des Français d'après l'Institut national de veille sanitaire[31] sont déficitaires en cette vitamine, on comprend qu'il est utile de s'en préoccuper.

Les sources alimentaires de vitamine D sont les graisses animales et en particulier les poissons gras (100 g de saumon apportent jusqu'à 400 UI soit 100 % des apports conseillés), mais la source majeure de vitamine D reste le soleil qui la produit dans la peau sous l'effet des rayons UV. Cette synthèse cutanée n'a lieu que lorsque les rayons qui frappent la peau sont de type UVB et avec une longueur d'onde située entre 290 et 313 nm environ. Ces conditions ne sont réunies en France qu'entre les mois d'avril et d'octobre environ. De plus, cette synthèse est bloquée par l'utilisation des crèmes solaires, par les vêtements ou par la pollution atmosphérique. Tout ceci explique les déficits massifs dans la population. Une simple exposition au soleil d'été (torse nu) pendant quinze à vingt minutes suffit à produire jusqu'à 15 000 UI de vitamine D3. Lorsque l'on compare ces doses produites à celles que l'on retrouve dans les compléments alimentaires (400 UI ce qui correspond aux AJR), on comprend pourquoi, avec une supplémentation qui respecterait les apports nutritionnels conseillés, il est difficile de réduire les déficits. Les chercheurs se démarquent (une fois de plus) de nos autorités de santé et des technocrates : ils recommandent une supplémentation de l'ordre de 75 UI par kg de poids corporel et par jour, soit 4 500 UI pour une personne de 60 kg, en se basant sur les études les plus récentes[32]. Les chercheurs déconseillent de dépasser une dose quotidienne de 10 000 UI dans le cadre d'une supplémentation[33, 34]. À noter qu'une surdose est impossible *via* l'exposition au soleil, même avec une supplémentation concomitante, en raison d'un mécanisme de régulation cutané.

N'hésitez pas à demander à votre médecin d'effectuer une prise de sang pour vérifier votre taux de vitamine D dans le sang. On considère que ce taux est optimal s'il est supérieur ou égal à 50 ng/ml.

En France, la vitamine D est en vente libre en pharmacie sous la dénomination ZYMAD en flacon compte-gouttes de 10 ml.

Certaines personnes doivent utiliser la vitamine D sous surveillance médicale stricte : ce sont les personnes atteintes de sarcoïdose, hyperparathyroïdie, tuberculose, lymphomes ou lithiases calciques.

La supplémentation en vitamine D est particulièrement importante si vous êtes touché par une maladie auto-immune, dans ce cas une prise quotidienne à l'année est conseillée. Dans le cas où l'intestin a été rendu exagérément perméable par le gluten, comme dans la maladie cœliaque, la vitamine D peut diminuer le risque de survenue d'une autre maladie comme le psoriasis[35]. Le déficit semble également augmenter la fréquence des crises d'épilepsie[36] et une supplémentation semble très bénéfique pour l'eczéma (voir p. 138) ou les allergies. Pour les personnes en bonne santé, la supplémentation peut être arrêtée aux beaux jours, à condition de s'exposer régulièrement (et modérément) au soleil.

- **Le zinc** : il s'agit d'un oligoélément qui joue un rôle de catalyseur dans de nombreuses réactions biologiques. Ces réactions sont connues pour influencer la croissance et le développement de l'enfant, le système immunitaire, le système nerveux ou l'appareil reproducteur. Les pertes de zinc sont souvent importantes en cas d'efforts physiques intenses, de maladie cœliaque ou de maladie inflammatoire de l'intestin. Dans ces cas, mais aussi en cas de régime végétarien ou végétalien, d'acné, d'une consommation régulière de produits laitiers (le calcium bloque l'absorption du zinc), ou pour récupérer d'une perméabilité intestinale accrue de longue date, une supplémentation est recommandée. On sait en effet depuis les années 1980 que le zinc joue un rôle important dans le maintien des jonctions serrées, probablement en raison de son action sur le système immunitaire qui siège en majeure partie dans notre intestin[37, 38]. Chez les personnes touchées par la maladie de Crohn ou la rectocolite hémoragique, une supplémentation (initiée en dehors des périodes de poussée de la maladie) restaure la perméabilité intestinale et pourrait diminuer encore le risque de rechutes[39, 40, 41], un bénéfice qui s'ajoute à celui de l'alimentation. Attention toutefois pour les estomacs sensibles : le zinc sous forme de complément alimentaire peut provoquer de petites nausées et troubles gastriques. Prenez-le toujours en mangeant.

En cas de supplémentation, **une dose maximale de 20 mg par jour est suffisante**. Évitez le zinc sous forme d'oxyde, faiblement absorbé et privilégiez les sels de citrate, gluconate ou chélate. Attention : un produit très usité et vendu en pharmacie, le RUBOZINC, contient du lactose et du gluten.

- **La vitamine B9** : cette vitamine permet la synthèse de nombreuses protéines et de l'ADN, elle participe donc à la croissance cellulaire et à l'expression des gènes. Elle participe aussi à la formation des globules rouges et un déficit expose à l'anémie dite mégaloblastique dans laquelle ces globules sont anormalement gros.

  La vitamine B9 est présente naturellement dans les végétaux (légumes verts à feuilles, légumineuses sont les meilleures sources) sous différentes formes appelées « folates ». En revanche, la vitamine B9 traditionnellement utilisée en complément alimentaire est sous la forme d'acide folique, un dérivé synthétique des folates. L'acide folique est transformé par l'organisme en 5-méthyltétrahydrofolate, qui ressemble en tous points à la forme active circulante issue des folates naturels. Mais cette conversion dépend d'enzymes qui peuvent dysfonctionner chez certaines personnes et il semble que ce soit le cas dans la dermatite atopique. Dans ces cas, on utilisera préférentiellement l'acide folinique, une autre forme de vitamine B9 qui n'utilise pas les mêmes enzymes pour devenir active. En France, on en trouve en vente libre en pharmacie sous le nom de **LEDERFOLINE® 5 mg. Un comprimé par jour pendant quelques mois** est une dose suffisante. En entretien, on peut se contenter d'un comprimé par semaine.

- **La vitamine E** : le terme de vitamine E recouvre huit composés : quatre tocophérols (alpha, bêta, gamma et delta) et quatre tocotriénols (alpha, bêta, gamma et delta). L'alpha-tocophérol est le composé le plus connu. La fonction principale de la vitamine E est de protéger les graisses de l'oxydation. La teneur en vitamine E de l'épiderme est particulièrement importante[42], il est donc probable que les bénéfices de cette vitamine dans les problèmes de peau comme la dermatite atopique proviennent simplement d'une meilleure mise à disposition d'une substance indispensable au renouvellement des cellules endommagées.

La majeure partie des compléments alimentaires de vitamine E contiennent uniquement (ou presque) de l'alpha-tocophérol, omettant les sept autres composés dont les trois autres tocophérols qui sont pourtant les plus représentés dans l'alimentation. Si on envisage une supplémentation dans le cadre d'une maladie de la peau, on veillera à choisir un produit qui contient au moins un mélange des quatre tocophérols, car on retrouve dans l'épiderme des quantités significatives de gamma-tocophérol[43, 44]. Cette caractéristique est encore difficile à trouver dans les compléments alimentaires de vitamine E français. **Une dose de 40 mg (environ 60 UI) d'alpha-tocophérol couplée à une dose de 100 mg de gamma-tocophérol** est suffisante. On veillera simplement à ne pas dépasser un apport de 200 UI d'alpha-tocophérol par jour en raison d'une augmentation possible du risque d'accident vasculaire cérébral au-delà.

- **La glutamine** : la L-glutamine est un acide aminé populaire vendu fréquemment en tant que complément alimentaire à destination des sportifs dans l'objectif d'accélerer les gains de masse musculaire et la récupération. Bien que son efficacité dans cette optique soit complètement nulle[45, 46], la glutamine peut servir de nourriture aux entérocytes et renforcer les jonctions serrées[47, 48, 49]. Elle ne pourra pas empêcher les méfaits du gluten, mais représente un bon atout pour récupérer plus rapidement d'une perméabilité intestinale accrue de longue date. On peut espérer un bénéfice avec une supplémentation de l'ordre de **2 à 5 g par jour pour un adulte**.

➤ Apprenez à débusquer le blé caché

Pour les personnes touchées par la maladie cœliaque, une sensibilité importante au gluten ou une maladie auto-immune, la pratique du régime sans gluten peut poser quelques difficultés en raison de l'omniprésence de produits dérivés du blé dans l'offre alimentaire moderne et parce que la moindre trace de gluten peut s'avérer néfaste.

D'une manière générale, un moyen simple d'éviter l'ingestion de gluten caché est d'apprendre à consommer des aliments les plus naturels, les moins transformés possibles. Sur les emballages des produits industriels, de nombreux ingrédients peuvent vous aider à détecter la présence de gluten, sauf si une mention explicite précise le contraire :

- « Agents anti-agglomérants » sans précision. Il s'agit fréquemment de farine (attention aux fruits secs et aux épices).
- « Amidon » de céréales ou amidon sans précision.
- « Extrait de malt ».
- « Fécule » sans précision.
- « Épaississants » sans précision.
- « Protéines végétales » sans précision.
- « Polypeptides ».
- La bière : les recherches les plus récentes ont montré que la bière contient des traces de gluten et ce, même si elle est estampillée « sans gluten »[50].

À l'inverse, le « dextrose de blé », « sirop de blé », « maltodextrine » ou « arôme de malt » **ne posent pas de problème**, car ils ne contiennent pas de protéines.

Dans le même ordre d'idée, pour les personnes qui souhaitent limiter l'ingestion de protéines laitières, **le lactose** est le sucre du lait et ne contient pas de protéine : il peut être mal digéré et provoquer des troubles digestifs, mais ne peut pas alimenter une réaction auto-immune ou perturber directement le cerveau à la manière des exorphines.

Les médicaments et les produits cosmétiques sont également des sources importantes de gluten caché.

On délaissera également les compléments alimentaires à base d'herbe de blé ou d'orge, les graines germées de céréales contenant du gluten (la germination ne permet d'éliminer que partiellement les protéines toxiques).

Pour ne rien laisser au hasard, il est indispensable de lire les étiquettes et de s'informer. Vous n'êtes plus des consommateurs, mais des consomm-acteurs.

Conclusion
Ce livre n'est pas scientifique

La lecture de ce livre changera peut-être votre vie, en tout cas je l'espère. Peut-être penserez-vous que ces informations peuvent bénéficier à de nombreux malades et doivent être diffusées à votre entourage. Mais si vous en parlez à un professionnel de santé, il se peut qu'il vous réponde que cette histoire de gluten n'est que pure théorie, qu'il n'y a pas de preuves (en dépit de l'existence de plus de 400 références scientifiques). C'est probablement aussi ce que penseront les autorités de santé.

Comment interpréter de telles contradictions ? Il existe en médecine des niveaux de preuves. Le niveau de preuve qui lie le gluten à certaines maladies n'est pas le plus élevé, c'est un fait ; par ailleurs, certaines études auxquelles je me réfère sont assez anciennes. La raison est simple : les études lancées pour évaluer les relations entre alimentation et santé sont financées majoritairement par des fonds publics qui sont ridiculement faibles comparés à ceux des grandes entreprises du médicament. Et quand on voit la place (quasi nulle) occupée par la nutrition et la prévention dans le cursus médical français, on comprend rapidement qu'approfondir l'impact des exorphines chez les malades schizophrènes ne fait pas partie des priorités.

Curieusement, lorsque les autorités de santé déconseillent la mise en place d'un régime sans gluten pour améliorer le traitement des maladies auto-immunes ou de l'autisme, elles évoquent avec véhémence le manque de preuves, mais elles ont laissé les laboratoires nous intoxiquer avec le Distilbène (pour prévenir les fausses couches et qui provoquait des cancers et des malformations – interdit avec six ans de retard en France), le Vioxx (anti-douleur qui augmentait nettement le risque de crises cardiaques et qui a provoqué environ 30 000 morts aux États-Unis en cinq ans – sa toxicité était connue trois ans avant son retrait du marché) et le Mediator pour lesquels le niveau de preuve justifiant leur utilisation devait être inébranlable ! Qui se souvient de la réunion de la commission nationale de pharmacovigilance de l'Afssaps le 29 novembre 2005 ? Nos experts y avaient affirmé : « *Compte tenu de l'incidence des hypertensions artérielles pulmonaires idiopathiques, le nombre de cas rapportés dans l'enquête ne constitue pas un signal significatif de toxicité du* MEDIATOR *dans la classe organe cardio-vasculaire.* »

Une étude retentissante publiée en 2005 dans le journal médical PLoS *Medicine* a d'ailleurs montré que la majeure partie des résultats de la recherche biomédicale souffrent de biais importants qui rendent les résultats peu crédibles[51]. L'article disait notamment que « *plus importants sont les intérêts financiers et autres ainsi que les préjugés dans un domaine scientifique, moins il est probable que les découvertes y seront vraies* ».

Dans la recherche de la toxicité du gluten, les intérêts financiers sont faibles, pour ne pas dire nuls, voilà pourquoi les données présentées ici doivent au contraire être prises avec grand sérieux ! Les cas de figure similaires sont d'ailleurs légion en nutrition ou en phytothérapie. Prenons l'ail par exemple : traditionnellement, on lui attribue de nombreuses vertus, et ce par définition, sans la moindre preuve scientifique. Aujourd'hui les recherches sont nombreuses et ont toutes confirmé l'effet bénéfique de cette plante sur la tension artérielle[52, 53], la santé cardiovasculaire[54] ou les défenses immunitaires[55]. Alors si demain vous constatez que l'eau mouille, n'attendez pas les preuves scientifiques pour prendre un parapluie.

La science et la médecine sont des outils formidables qui nous ont permis de rompre avec le charlatanisme et de mettre un terme à certaines escroqueries, de trouver des remèdes vraiment efficaces. Mais elles en ont mis au jour de nouvelles et laissé derrière elles la prévention et la prise de conscience de l'importance capitale de l'alimentation pour notre santé.

Pour cette prise de conscience, il vous faudra faire votre chemin seul, vous cultiver seul et agir seul, même s'il est préférable que votre médecin soit informé de vos choix. Mais après tout, ne s'agit-il pas de votre corps ? N'est-ce pas votre santé qui est en jeu ?

BIBLIOGRAPHIE

Première partie

1 Anonymous, Rostami K, Hogg-Kollars S. Non-coeliac gluten sensitivity. BMJ 2012;345: e7982.

2 Elvire Nérin et Angélique Houlbert : *Le Nouveau régime* IG, Thierry Souccar Éditions, 2011.

3 Dr Jacques Médart et Angélique Houlbert : *Le Nouveau régime* IG *diabète*, Thierry Souccar Éditions, 2012.

4 Lindeberg S. Paleolithic diets as a model for prevention and treatment of Western disease. Am J Hum Biol. 2012 Mar-Apr;24(2): 110-5.

5 Henry AG et al. Microfossils in calculus demonstrate consumption of plants and cooked foods in Neanderthal diets (Shanidar III, Iraq; Spy I and II, Belgium). Proc Natl Acad Sci U S A. 2011 Jan 11; 108(2): 486-91.

6 Revedin A et al. Thirty thousand-year-old evidence of plant food processing. Proc Natl Acad Sci U S A. 2010 Nov 2; 107(44): 18815-9.

7 Vidal-Valverde Concepcion et al. Effect of processing on some antinutritional factors of lentils. Journal of Agricultural and Food Chemistry 1994 42 (10), 2291-2295.

8 Noreen Nadia et al. Variation in mineral composition and phytic acid content in different rice varieties during home traditional cooking processes. Pakistan Journal of Life and Social Sciences 2009 Vol. 7 No. 1 pp. 11-15.

9 Dhurandar, N.V. Chang, K.C. Effect of Cooking on Firmness, Trypsin Inhibitors, Lectins and Cystine/Cysteine content of Navy and Red Kidney Beans (Phaseolus vulgaris). Journal of Food Science, 55: 470–474.

10 Wrangham R, Conklin-Brittain N. 'Cooking as a biological trait'. Comp Biochem Physiol A Mol Integr Physiol. 2003 Sep; 136(1): 35-46.

11 Prasad V, Strömberg CA, Leaché AD, Samant B, Patnaik R, Tang L, Mohabey DM, Ge S, Sahni A. Late Cretaceous origin of the rice tribe provides evidence for early diversification in Poaceae. Nat Commun. 2011 Sep 20; 2: 480.

12 Balter M. Archaeology. The tangled roots of agriculture. Science. 2010 Jan 22; 327(5964): 404-6.

13 Plantinga TS, Alonso S, Izagirre N, Hervella M, Fregel R, van der Meer JW, Netea MG, de la Rúa C. Low prevalence of lactase persistence in Neolithic South-West Europe. Eur J Hum Genet. 2012 Jul; 20(7): 778-82.

14 Finnish TRIGR Study Group. Dietary intervention in infancy and later signs of beta-cell autoimmunity. N Engl J Med. 2010 Nov 11; 363(20): 1900-8.

15 van den Broeck HC, de Jong HC, Salentijn EM, Dekking L, Bosch D, Hamer RJ, Gilissen LJ, van der Meer IM, Smulders MJ. Presence of celiac disease epitopes in modern and old hexaploid wheat varieties: wheat breeding may have contributed to increased prevalence of celiac disease. Theor Appl Genet. 2010 Nov; 121(8): 1527-39.

16 Pizzuti D, Buda A, D'Odorico A, D'Incà R, Chiarelli S, Curioni A, Martines D. Lack of intestinal mucosal toxicity of Triticum monococcum in celiac disease patients. Scand J Gastroenterol. 2006 Nov; 41(11): 1305-11.

17 Donald D. Kasarda. Grains in Relation to Celiac (Coeliac) Disease. U.S. Department of Agriculture. 2010-11.

18 Ram Ratan Singh, K Prasad. Effect of bio-fertilizers on growth and productivity of wheat (Triticum aestivum). International Journal of Farm Sciences, Vol 1, No 1 (2011).

19 Borlaug, N.E. New approach to the breeding of wheat varieties resistant to Puccinia graminis tritici. Phytopathology, 1953 ; 43: 467.

20 Hedden P. The genes of the Green Revolution. Trends Genet. 2003 Jan; 19(1): 5-9.

21 Y. Pomeranz, N. N. Standridge, G. S. Robbins, E. D. Goplin. Malting of New Wheat Cultivars. Cereal Chem 1975. 52: 485-492.

22 Song X, Ni Z, Yao Y, Zhang Y, Sun Q. Identification of differentially expressed proteins between hybrid and parents in wheat (Triticum aestivum L.) seedling leaves. Theor Appl Genet. 2009 Jan; 118(2): 213-25.

23 Gao X, Liu SW, Sun Q, Xia GM. High frequency of HMW-GS sequence variation through somatic hybridization between Agropyron elongatum and common wheat. Planta. 2010 Jan; 231(2): 245-50.

24 Peng J, Richards DE, Hartley NM, Murphy GP, Devos KM, Flintham JE, Beales J, Fish LJ, Worland AJ, Pelica F, Sudhakar D, Christou P, Snape JW, Gale MD, Harberd NP. 'Green revolution' genes encode mutant gibberellin response modulators. Nature. 1999 Jul 15; 400(6741): 256-61.

25 Chantret N, Salse J, Sabot F, Rahman S, Bellec A, Laubin B, Dubois I, Dossat C, Sourdille P, Joudrier P, Gautier MF, Cattolico L, Beckert M, Aubourg S, Weissenbach J, Caboche M, Bernard M, Leroy P, Chalhoub B. Molecular basis of evolutionary events that shaped the hardness locus in diploid and polyploid wheat species (Triticum and Aegilops). Plant Cell. 2005 Apr; 17(4): 1033-45.

26 Dean Ornish. Holy Cow! What's Good For You Is Good For Our Planet. Arch Intern Med. 2012; 0(2012): archinternmed.2012.174.

Deuxième partie

1 Zamakhchari M, Wei G, Dewhirst F, Lee J, Schuppan D, Oppenheim FG, Helmerhorst EJ. Identification of Rothia bacteria as gluten-degrading natural colonizers of the upper gastro-intestinal tract. PLoS One. 2011; 6(9): e24455. doi: 10.1371/journal.pone.0024455.

2 Chey WD, Wong BC; Practice Parameters Committee of the American College of Gastroenterology. American College of Gastroenterology guideline on the management of Helicobacter pylori infection. Am J Gastro-enterol. 2007 Aug; 102(8): 1808-25.

3 Schumann M, Richter JF, Wedell I, Moos V, Zimmermann-Kordmann M, Schneider T, Daum S, Zeitz M, Fromm M, Schulzke JD. Mechanisms of epithelial translocation of the alpha(2)-gliadin-33mer in coeliac sprue. Gut. 2008 Jun; 57(6): 747-54.

4 O'Mahony S, Shanahan F. Enteric bacterial flora and bacterial overgrowth. In : Feldman M, Friedman LS, Brandt LJ, eds. Sleisenger and Fordtran's Gastrointestinal and Liver Disease. 8th ed. Philadelphia: Saunders Elsevier Science Health Science Div, 2006; 2243-56.

5 De La Cochetière MF, Durand T, Lalande V, Petit JC, Potel G, Beaugerie L. Effect of antibiotic therapy on human fecal microbiota and the relation to the development of Clostridium difficile. Microb Ecol. 2008 Oct; 56(3): 395-402. doi: 10.1007/s00248-007-9356-5.

6 Ley RE, Turnbaugh PJ, Klein S, Gordon JI. Microbial ecology: human gut microbes associated with obesity. Nature. 2006 Dec 21; 444(7122): 1022-3.

7 Bäckhed F, Ding H, Wang T, Hooper LV, Koh GY, Nagy A, Semenkovich CF, Gordon JI. The gut microbiota as an environmental factor that regulates fat storage. Proc Natl Acad Sci U S A. 2004 Nov 2; 101(44): 15718-23.

8 Frank DN, St Amand AL, Feldman RA, Boedeker EC, Harpaz N, Pace NR. Molecular-phylogenetic characterization of microbial community imbalances in human inflammatory bowel diseases. Proc Natl Acad Sci U S A. 2007 Aug 21; 104(34): 13780-5.

9 Lees CW, Barrett JC, Parkes M, Satsangi J. New IBD genetics: common pathways with other diseases. Gut. 2011 Dec; 60(12): 1739-53.

10 Noverr MC, Huffnagle GB. The 'microflora hypothesis' of allergic diseases. Clin Exp Allergy. 2005 Dec; 35(12): 1511-20.

11 Kalliomäki M, Salminen S, Arvilommi H, Kero P, Koskinen P, Isolauri E. Probiotics in primary prevention of atopic disease: a randomised placebo-controlled trial. Lancet. 2001 Apr 7; 357(9262): 1076-9.

12 K. Wickens, P. Black, T. V. Stanley, E. Mitchell, C. Barthow, P. Fitzharris, G. Purdie, J. Crane. A protective effect of Lactobacillus rhamnosus HN001 against eczema in the first 2 years of life persists to age 4 years. Clinical & Experimental Allergy, 2012 (42): 1071–1079.

13 Wen L, Ley RE, Volchkov PY, Stranges PB, Avanesyan L, Stonebraker AC, Hu C, Wong FS, Szot GL, Bluestone JA, Gordon JI, Chervonsky AV. Innate immunity and intestinal microbiota in the development of Type 1 diabetes. Nature. 2008 Oct 23; 455(7216): 1109-13.

14 Vaarala O. Is the origin of type 1 diabetes in the gut? Immunol Cell Biol. 2012 Mar; 90(3): 271-6.

15 Whitehead WE, Palsson O, Jones KR. Systematic review of the comorbidity of irritable bowel syndrome with other disorders: what are the causes and implications? Gastroenterology. 2002 Apr; 122(4): 1140-56.

16 Pimentel M, Wallace D, Hallegua D, Chow E, Kong Y, Park S, Lin HC. A link between irritable bowel syndrome and fibromyalgia may be related to findings on lactulose breath testing. Ann Rheum Dis. 2004 Apr; 63(4): 450-2.

17 Rashid T, Ebringer A. Ankylosing spondylitis is linked to Klebsiella--the evidence. Clin Rheumatol. 2007 Jun; 26(6): 858-64.

18 Brakenhoff LK, van der Heijde DM, Hommes DW, Huizinga TW, Fidder HH. The joint-gut axis in inflammatory bowel diseases. J Crohns Colitis. 2010 Sep; 4(3): 257-68.

19 Scher JU, Abramson SB. The microbiome and rheumatoid arthritis. Nat Rev Rheumatol. 2011 Aug 23; 7(10): 569-78.

20 Drexhage RC, Weigelt K, van Beveren N, Cohen D, Versnel MA, Nolen WA, Drexhage HA. Immune and neuroimmune alterations in mood disorders and schizophrenia. Int Rev Neurobiol. 2011; 101: 169-201.

21 Wei J, Hemmings GP. Gene, gut and schizophrenia: the meeting point for the gene-environment interaction in developing schizophrenia. Med Hypotheses. 2005; 64(3): 547-52.

22 Mori K, Nakagawa Y, Ozaki H. Does the gut microbiota trigger Hashimoto's thyroiditis? Discov Med. 2012 Nov; 14(78): 321-6.

23 Yokote H, Miyake S, Croxford JL, Oki S, Mizusawa H, Yamamura T. NKT cell-dependent amelioration of a mouse model of multiple sclerosis by altering gut flora. Am J Pathol. 2008 Dec; 173(6): 1714-23.

24 Westall FC. Molecular mimicry revisited: gut bacteria and multiple sclerosis. J Clin Microbiol. 2006 Jun; 44(6): 2099-104.

25 Nadal I, Donant E, Ribes-Koninckx C, Calabuig M, Sanz Y. Imbalance in the composition of the duodenal microbiota of children with coeliac disease. J Med Microbiol. 2007; 56(12): 1669–1674.

26 Kalliomäki M, Satokari R, Lähteenoja H, Vähämiko S, Grönlund J, Routi T, Salminen S. Expression of microbiota, Toll-like receptors, and their regulators in the small intestinal mucosa in celiac disease. J Pediatr Gastroenterol Nutr. 2012 Jun; 54(6): 727-32.

27 Sellitto M, Bai G, Serena G, Fricke WF, Sturgeon C, Gajer P, White JR, Koenig SS, Sakamoto J, Boothe D, Gicquelais R, Kryszak D, Puppa E, Catassi C, Ravel J, Fasano A. Proof of concept of microbiome-metabolome analysis and delayed gluten exposure on celiac disease autoimmunity in genetically at-risk infants. PLoS One. 2012; 7(3): e33387.

28 Di Cagno R, De Angelis M, De Pasquale I, Ndagijimana M, Vernocchi P, Ricciuti P, Gagliardi F, Laghi L, Crecchio C, Guerzoni ME, Gobbetti M, Francavilla R. Duodenal and faecal microbiota of celiac children: molecular, phenotype and metabolome characterization. BMC Microbiol. 2011 Oct 4; 11: 219.

29 Mandar R, Mikelsaar M. Transmission of mother's microflora to the newborn at birth. 1996. Biol Neonate 69: 30–35.

30 Grönlund MM, Lehtonen OP, Eerola E, et al. Fecal microfl ora in healthy infants born by different methods of delivery: permanent changes in intestinal fl ora after caesarean delivery. J Pediatr Gastroenterol Nutr. 1999; 28: 19–25.

31 Q. Zhang, Angela; Y. Ryan Lee, S.; Truneh, Melat; L. Everett, Mary; Parker, William. Human Whey Promotes Sessile Bacterial Growth, Whereas Alternative Sources of Infant Nutrition Promote Planktonic Growth. Current Nutrition & Food Science, Volume 8, Number 3, August 2012, 168-176(9).

32 Sonnenschein-van der Voort AM, Jaddoe VW, van der Valk RJ, Willemsen SP, Hofman A, Moll HA, de Jongste JC, Duijts L. Duration and exclusiveness of breastfeeding and childhood asthma-related symptoms. Eur Respir J. 2012 Jan; 39(1): 81-9.

33 Mackie RI, Sghir A, Gaskins HR. Developmental microbial ecology of the neonatal gastrointestinal tract. Am J Clin Nutr. 1999 May; 69(5): 1035S-1045S.

34 Dethlefsen L, Eckburg PB, Bik EM, et al. Assembly of the human intestinal microbiota. Trends Ecol Evol. 2006; 21(9): 517–523.

35 Eckburg PB, Bik EM, Bernstein CN, et al. Diversity of the human intestinal microbial flora. Science. 2005; 308: 1635–1638.

36 Macpherson AJ, Uhr T. Induction of protective IgA by intestinal dendritic cells carrying commensal bacteria. Science. 2004 Mar 12; 303(5664): 1662-5.

37 Vaishnava S, Behrendt CL, Ismail AS, Eckmann L, Hooper LV. Paneth cells directly sense gut commensals and maintain homeostasis at the intestinal host-microbial interface. Proc Natl Acad Sci U S A. 2008 Dec 30; 105(52): 20858-63.

38 Hooper LV, Stappenbeck TS, Hong CV, Gordon JI. Angiogenins: a new class of microbicidal proteins involved in innate immunity. Nat Immunol. 2003 Mar; 4(3): 269-73.

39 Gasbarrini A, Lauritano EC, Gabrielli M, et al. Small intestinal bacterial overgrowth: Diagnosis and treatment. Dig Dis 2007; 25: 237-40.

40 Wang KY, Li SN, Liu CS, Perng DS, Su YC, Wu DC, Jan CM, Lai CH, Wang TN, Wang WM. Effects of ingesting Lactobacillus- and Bifidobacterium-containing yogurt in subjects with colonized Helicobacter pylori. Am J Clin Nutr. 2004 Sep; 80(3): 737-41.

41 Gotteland M, Brunser O, Cruchet S. Systematic review: are probiotics useful in controlling gastric colonization by Helicobacter pylori? Aliment Pharmacol Ther. 2006 Apr 15; 23(8): 1077-86.

42 K. Wickens, P. Black, T. V. Stanley, E. Mitchell, C. Barthow, P. Fitzharris, G. Purdie, J. Crane. A protective effect of Lactobacillus rhamnosus HN001 against eczema in the first 2 years of life persists to age 4 years. Clinical & Experimental Allergy, 2012 (42): 1071–1079.

43 Gui GP, Thomas PR, Tizard ML, Lake J, Sanderson JD, Hermon-Taylor J. Two-year-outcomes analysis of Crohn's disease treated with rifabutin and macrolide antibiotics. J Antimicrob Chemother. 1997 Mar; 39(3): 393-400.

44 Prantera C, Scribano ML. Antibiotics and probiotics in inflammatory bowel disease: why, when, and how. Curr Opin Gastroenterol. 2009 Jul; 25(4): 329-33.

45 Sokol H, Pigneur B, Watterlot L, Lakhdari O, Bermúdez-Humarán LG, Gratadoux JJ, Blugeon S, Bridonneau C, Furet JP, Corthier G, Grangette C, Vasquez N, Pochart P, Trugnan G, Thomas G, Blottière HM, Doré J, Marteau P, Seksik P, Langella P. Faecalibacterium prausnitzii is an anti-inflammatory commensal bacterium identified by gut microbiota analysis of Crohn disease patients. Proc Natl Acad Sci U S A. 2008 Oct 28; 105(43): 16731-6.

46 Taha Rashid, Alan Ebringer. Autoimmunity in Rheumatic Diseases Is Induced by Microbial Infections via Crossreactivity or Molecular Mimicry. Autoimmune Diseases, vol. 2012, Article ID 539282, 9 pages, 2012. doi: 10.1155/2012/539282.

47 A Fasano, B Baudry, D W Pumplin, S S Wasserman, B D Tall, J M Ketley, J B Kaper. Vibrio cholerae produces a second enterotoxin, which affects intestinal tight junctions. PNAS 1991 88 (12) 5242-5246; doi: 10.1073/pnas.88.12.5242.

48 Mariarosaria Di Pierro, Ruliang Lu, Sergio Uzzau, Wenle Wang, Klara Margaretten, Carlo Pazzani, Francesco Maimone, Alessio Fasano. Zonula Occludens Toxin Structure-Function Analysis: Identification of the fragment biologically active on tight junctions and of the zonulin receptor binding domain. J. Biol. Chem. 2001 276: 19160-19165. doi: 10.1074/jbc.M009674200.

49 Fasano A, Nataro JP. Intestinal epithelial tight junctions as targets for enteric bacteria-derived toxins. Adv Drug Deliv Rev. 2004 Apr 19; 56(6): 795-807.

50 El Asmar R, Panigrahi P, Bamford P, Berti I, Not T, Coppa GV, Catassi C, Fasano A. Host-dependent zonulin secretion causes the impairment of the small intestine barrier function after bacterial exposure. Gastroenterology. 2002 Nov; 123(5): 1607-15.

51 Fasano A. Pathological and therapeutical implications of macromolecule passage through the tight junction. In: Tight Junctions. Boca Raton, FL: CRC, 2001, p. 697–722.

52 M G Clemente, S De Virgiliis, J S Kang, R Macatagney, M P Musu, M R Di Pierro, S Drago, M Congia, A Fasano. Early effects of gliadin on enterocyte intracellular signalling involved in intestinal barrier function. Gut 2003; 52: 2 218-223 doi: 10.1136/gut.52.2.218.

53 Lammers KM, Lu R, Brownley J, Lu B, Gerard C, Thomas K, Rallabhandi P, Shea-Donohue T, Tamiz A, Alkan S, Netzel-Arnett S, Antalis T, Vogel SN, Fasano A. Gliadin induces an increase in intestinal permeability and zonulin release by binding to the chemokine receptor CXCR3. Gastroenterology. 2008 Jul; 135(1): 194-204.e3. doi: 10.1053/j. gastro.2008.03.023.

54 Drago S, El Asmar R, Di Pierro M, Grazia Clemente M, Tripathi A, Sapone A, Thakar M, Iacono G, Carroccio A, D'Agate C, Not T, Zampini L, Catassi C, Fasano A. Gliadin, zonulin and gut permeability: Effects on celiac and non-celiac intestinal mucosa and intestinal cell lines. Scand J Gastroenterol. 2006 Apr; 41(4): 408-19.

55 Fasano A. Zonulin and its regulation of intestinal barrier function: the biological door to inflammation, autoimmunity, and cancer. Physiol Rev. 2011 Jan; 91(1): 151-75. doi: 10.1152/physrev.00003.2008.

56 Visser JT, Lammers K, Hoogendijk A, Boer MW, Brugman S, Beijer-Liefers S, Zandvoort A, Harmsen H, Welling G et al. Restoration of impaired intestinal barrier function by the hydrolysed casein diet contributes to the prevention of type 1 diabetes in the diabetes-prone BioBreeding rat. Diab tologia. 2010; 53: 2621–8.

57 Gee JM, Wortley GM, Johnson It, Price KR, Rutten AA. Houben GF, Penninks, AJ. Effects of saponins and glycoalkaloids on the permeability and viability of mammalian intestinal cells and on the integrity of tissue preparations. Toxicol in Vitro 1996; 10: 117-128.

58 Han J, Isoda H, Maekawa T. Analysis of the mechanism of the tight-junctional permeability increase by capsaicin treatment on the intestinal Caco-2 cells. Cytotechnology. 2002 Nov; 40(1-3): 93-8.

59 Komori Y, Aiba T, Nakai C, Sugiyama R, Kawasaki H, Kurosaki Y. Capsaicin-induced increase of intestinal cefazolin absorption in rats. Drug Metab Pharmacokinet. 2007 Dec; 22(6): 445-9.

60 Friedman M, Levin CE. Alpha tomatine content in tomato and tomato products determined by HPLC with pulsed amperometric detection. J Agric Food Chem 1995; 43: 1507-1511.

61 I Bjarnason, P Williams, P Smethurst, T J Peters, A J Levi. Effect of non-steroidal anti-inflammatory drugs and prostaglandins on the permeability of the human small intestine. Gut 1986; 27: 11 1292-1297 doi: 10.1136/gut.27.11.1292.

62 Wardill HR, Bowen JM, Gibson RJ. Chemotherapy-induced gut toxicity: are alterations to intestinal tight junctions pivotal? Cancer Chemother Pharmacol. 2012 Nov; 70(5): 627-35. doi: 10.1007/s00280-012-1989-5.

63 Melichar B, Hyspler R, Kalábová H, Dvorák J, Tichá A, Zadák Z. Gastroduodenal, intestinal and colonic permeability during anticancer therapy. Hepatogastroenterology. 2011 Jul-Aug; 58(109): 1193-9. doi: 10.5754/hge08101.

64 Kubecová M, Horák L, Kohout P, Granátová J. Changes in small intestine permeability after radiotherapy of malignant tumor. Hepatogastroenterology. 2008 Mar-Apr; 55 (82-83): 463-6.

65 Dvorák J, Melichar B, Hyspler R, Krcmová L, Urbánek L, Kalábová H, Kasparová M, Solichová D. Intestinal permeability, vitamin A absorption, alpha-tocopherol, and neopterin in patients with rectal carcinoma treated with chemoradiation. Med Oncol. 2010 Sep; 27(3): 690-6. doi: 10.1007/s12032-009-9270-4.

66 Finamore A, Massimi M, Conti Devirgiliis L, Mengheri E. Zinc deficiency induces membrane barrier damage and increases neutrophil transmigration in Caco-2 cells. J Nutr. 2008; 138: 1664–70.

67 Hercberg S, Preziosi P, Galan P, Deheeger M, Papoz L, Dupin H. Dietary intake of a representative sample of the population of Val-de-Marne; III. Mineral and vitamin intake. Rev Epidemiol Sante Publique. 1991; 39(3): 245-61.

68 Kong J, Zhang Z, Musch MW, Ning G, Sun J, Hart J, Bissonnette M, Li YC. Novel role of the vitamin D receptor in maintaining the integrity of the intestinal mucosal barrier. Am J Physiol Gastrointest Liver Physiol. 2008 Jan; 294 (1): G208-16.

69 Vernay M. et al. Vitamin D status in the French adult population: the French Nutrition and Health Survey (ENNS, 2006-2007). Usen, invs, Avril 2012.

70 Usami M, Komurasaki T, Hanada A, Kinoshita K, Ohata A. Effect of gamma-linolenic acid or docosahexaenoic acid on tight junction permeability in intestinal monolayer cells and their mechanism by protein kinase C activation and/or eicosanoid formation. Nutrition. 2003 Feb; 19(2): 150-6.

71 Usami M, Muraki K, Iwamoto M, Ohata A, Matsushita E, Miki A. Effect of eicosapentaenoic acid (EPA) on tight junction permeability in intestinal monolayer cells. Clin Nutr. 2001 Aug; 20(4): 351-9.

72 Ahrne S, Hagslatt ML. Effect of lactobacilli on paracellular permeability in the gut. Nutrients. 2011 Jan; 3(1): 104-17. doi: 10.3390/nu3010104.

73 Gupta P, Andrew H, Kirschner BS, Guandalini S. Is lactobacillus GG helpful in children with Crohn's disease? Results of a preliminary, open-label study. J Pediatr Gastroenterol Nutr. 2000 Oct; 31(4): 453-7.

74 Hewagama A, Richardson B. The genetics and epigenetics of autoimmune diseases. J Autoimmun. 2009 Aug; 33 (1): 3-11. doi: 10.1016/j.jaut.2009.03.007.

75 Qi Q, Chu AY, Kang JH, Jensen MK, Curhan GC, Pasquale LR, Ridker PM, Hunter DJ, Willett WC, Rimm EB, Chasman DI, Hu FB, Qi L. Sugar-Sweetened Beverages and Genetic Risk of Obesity. N Engl J Med. 2012 Sep 21.

76 Morandi A, Meyre D, Lobbens S, Kleinman K, Kaakinen M, et al. (2012) Estimation of Newborn Risk for Child or Adolescent Obesity: Lessons from Longitudinal Birth Cohorts. PLoS ONE 7 (11): e49919. doi: 10.1371/journal.pone.0049919.

77 Yahata E, Maruyama-Funatsuki W, Nishio Z, Yamamoto Y, Hanaoka A, Sugiyama H, Tanida M, Saruyama H. Relationship between the dough quality and content of specific glutenin proteins in wheat mill streams, and its application to making flour suitable for instant Chinese noodles. Biosci Biotechnol Biochem. 2006 Apr; 70(4): 788-97.

78 Pistón F, Gil-Humanes J, Rodríguez-Quijano M, Barro F. Down-regulating γ-gliadins in bread wheat leads to non-specific increases in other gluten proteins and has no major effect on dough gluten strength. PLoS One. 2011; 6(9): e24754. doi: 10.1371/journal.pone.0024754.

79 Sapone A, Bai JC, Ciacci C, Dolinsek J, Green PH, Hadjivassiliou M, Kaukinen K, Rostami K, Sanders DS, Schumann M, Ullrich R, Villalta D, Volta U, Catassi C, Fasano A. Spectrum of gluten-related disorders:

consensus on new nomenclature and classification. BMC Med. 2012 Feb 7; 10: 13.

80 Heyman M, Abed J, Lebreton C, Cerf-Bensussan N. Intestinal permeability in coeliac disease: insight into mechanisms and relevance to pathogenesis. Gut. 2012 Sep; 61(9): 1355-64. doi: 10.1136/gutjnl-2011-300327.

81 Karell K, Louka AS, Moodie SJ, Ascher H, Clot F, Greco L, Ciclitira PJ, Sollid LM, Partanen J; European Genetics Cluster on Celiac Disease. HLA types in celiac disease patients not carrying the DQA1*05-DQB1*02 (DQ2) heterodimer: results from the European Genetics Cluster on Celiac Disease. Hum Immunol. 2003 Apr; 64(4): 469-77.

82 Greco L, Romino R, Coto I, Di Cosmo N, Percopo S, Maglio M, Paparo F, Gasperi V, Limongelli MG, Cotichini R, D'Agate C, Tinto N, Sacchetti L, Tosi R, Stazi MA. The first large population based twin study of coeliac disease. Gut. 2002 May; 50(5): 624-8.

83 Abadie V, Sollid LM, Barreiro LB, Jabri B. Integration of genetic and immunological insights into a model of celiac disease pathogenesis. Annu Rev Immunol. 2011; 29: 493-525. doi: 10.1146/annurev-immunol-040210-092915.

84 Trynka G, Hunt KA, Bockett NA, Romanos J, Mistry V, Szperl A, Bakker SF, Bardella MT, Bhaw-Rosun L, Castillejo G, de la Concha EG, de Almeida RC, Dias KR, van Diemen CC, Dubois PC, Duerr RH, Edkins S, Franke L, Fransen K, Gutierrez J, Heap GA, Hrdlickova B, Hunt S, Izurieta LP, Izzo V, Joosten LA, Langford C, Mazzilli MC, Mein CA, Midah V, Mitrovic M, Mora B, Morelli M, Nutland S, Núñez C, Onengut-Gumuscu S, Pearce K, Platteel M, Polanco I, Potter S, Ribes-Koninckx C, Ricaño-Ponce I, Rich SS, Rybak A, Santiago JL, Senapati S, Sood A, Szajewska H, Troncone R, Varadé J, Wallace C, Wolters VM, Zhernakova A. Dense genotyping identifies and localizes multiple common and rare variant association signals in celiac disease. Nat Genet. 2011 Nov 6; 43(12): 1193-201. doi: 10.1038/ng.998.

85 Szperl AM, Ricaño-Ponce I, Li JK, Deelen P, Kanterakis A, Plagnol V, van Dijk F, Westra HJ, Trynka G, Mulder CJ, Swertz M, Wijmenga C, Zheng HC. Exome sequencing in a family segregating for celiac disease. Clin Genet. 2011 Aug; 80(2): 138-47. doi: 10.1111/j.1399-0004.2011.01714.x.

86 Akobeng AK, Ramanan AV, Buchan I, Heller RF. Effect of breast feeding on risk of coeliac disease: a systematic review and meta-analysis of observational studies. Arch Dis Child. 2006 Jan; 91(1): 39-43.

87 Palma GD, Capilla A, Nova E, Castillejo G, Varea V, Pozo T, Garrote JA, Polanco I, López A, Ribes-Koninckx C, Marcos A, García-Novo MD, Calvo C,

Ortigosa L, Peña-Quintana L, Palau F, Sanz Y. Influence of milk-feeding type and genetic risk of developing coeliac disease on intestinal microbiota of infants: the PROFICEL study. PLoS One. 2012; 7(2): e30791.

88 Norris JM, Barriga K, Hoffenberg EJ, Taki I, Miao D, Haas JE, Emery LM, Sokol RJ, Erlich HA, Eisenbarth GS, Rewers M. Risk of celiac disease autoimmunity and timing of gluten introduction in the diet of infants at increased risk of disease. JAMA. 2005 May 18; 293(19): 2343-51.

89 Stene LC, Honeyman MC, Hoffenberg EJ, Haas JE, Sokol RJ, Emery L, Taki I, Norris JM, Erlich HA, Eisenbarth GS, Rewers M. Rotavirus infection frequency and risk of celiac disease autoimmunity in early childhood: a longitudinal study. Am J Gastroenterol. 2006 Oct; 101(10): 2333-40.

90 Zhernakova A, Elbers CC, Ferwerda B, Romanos J, Trynka G, Dubois PC, de Kovel CG, Franke L, Oosting M, Barisani D, Bardella MT; Finnish Celiac Disease Study Group, Joosten LA, Saavalainen P, van Heel DA, Catassi C, Netea MG, Wijmenga C. Evolutionary and functional analysis of celiac risk loci reveals SH2B3 as a protective factor against bacterial infection. Am J Hum Genet. 2010 Jun 11; 86(6): 970-7. doi: 10.1016/j.ajhg.2010.05.004.

91 Tack GJ, Verbeek WH, Schreurs MW, Mulder CJ. The spectrum of celiac disease: epidemiology, clinical aspects and treatment. Nat Rev Gastroenterol Hepatol. 2010 Apr; 7(4): 204-13. doi: 10.1038/nrgastro.2010.23.

92 Walker MM, Murray JA, Ronkainen J, Aro P, Storskrubb T, D'Amato M, Lahr B, Talley NJ, Agreus L. Detection of celiac disease and lymphocytic enteropathy by parallel serology and histopathology in a population-based study. Gastroenterology. 2010 Jul; 139(1): 112-9. doi: 10.1053/j.gastro.2010.04.007.

93 Rubio-Tapia A, Kyle RA, Kaplan EL, Johnson DR, Page W, Erdtmann F, Brantner TL, Kim WR, Phelps TK, Lahr BD, Zinsmeister AR, Melton LJ 3rd, Murray JA. Increased prevalence and mortality in undiagnosed celiac disease. Gastroenterology. 2009 Jul; 137(1): 88-93. doi: 10.1053/j.gastro.2009.03.059.

94 Catassi C, Kryszak D, Bhatti B, Sturgeon C, Helzlsouer K, Clipp SL, Gelfond D, Puppa E, Sferruzza A, Fasano A. Natural history of celiac disease autoimmunity in a USA cohort followed since 1974. Ann Med. 2010 Oct; 42(7): 530-8. doi: 10.3109/07853890.2010.514285.

95 Lohi S, Mustalahti K, Kaukinen K, Laurila K, Collin P, Rissanen H, Lohi O, Bravi E, Gasparin M, Reunanen A, Mäki M. Increasing prevalence of coeliac disease over time. Aliment Pharmacol Ther. 2007 Nov 1; 26(9): 1217-25.

96 Godfrey JD, Brantner TL, Brinjikji W, Christensen KN, Brogan DL, Van Dyke CT, Lahr BD, Larson JJ, Rubio-Tapia A, Melton LJ 3rd, Zinsmeister AR, Kyle RA, Murray JA. Morbidity and mortality among older individuals with undiagnosed celiac disease. Gastroenterology. 2010 Sep; 139(3): 763-9. doi: 10.1053/j.gastro.2010.05.041.

97 Rajani S, Huynh HQ, Turner J. The changing frequency of celiac disease diagnosed at the Stollery Children's Hospital. Can J Gastroenterol. 2010 Feb; 24(2): 109-12.

98 Scanlon SA, Murray JA. Update on celiac disease - etiology, differential diagnosis, drug targets, and management advances. Clin Exp Gastroenterol. 2011; 4: 297-311. doi: 10.2147/CEG.S8315.

99 Ludvigsson JF, Leffler DA, Bai JC, Biagi F, Fasano A, Green PH, Hadjivassiliou M, Kaukinen K, Kelly CP, Leonard JN, Lundin KE, Murray JA, Sanders DS, Walker MM, Zingone F, Ciacci C. The Oslo definitions for coeliac disease and related terms. Gut. 2013 Jan; 62(1): 43-52. doi: 10.1136/gutjnl-2011-301346.

100 Barton SH, Kelly DG, Murray JA. Nutritional deficiencies in celiac disease. Gastroenterol Clin North Am. 2007 Mar; 36(1): 93-108, vi.

101 Cosnes J, Cellier C, Viola S, Colombel JF, Michaud L, Sarles J, Hugot JP, Ginies JL, Dabadie A, Mouterde O, Allez M, Nion-Larmurier I; Groupe D'Etude et de Recherche Sur la Maladie Cœliaque. Incidence of autoimmune diseases in celiac disease: protective effect of the gluten-free diet. Clin Gastroenterol Hepatol. 2008 Jul; 6(7): 753-8. doi: 10.1016/j.cgh.2007.12.022.

102 Askling J, Linet M, Gridley G, Halstensen TS, Ekström K, Ekbom A. Cancer incidence in a population-based cohort of individuals hospitalized with celiac disease or dermatitis herpetiformis. Gastroenterology. 2002 Nov; 123(5): 1428-35.

103 van Heel DA, West J. Recent advances in coeliac disease. Gut. 2006 Jul; 55(7): 1037-46.

104 Johnston SD, McMillan SA, Collins JS et al. A comparison of antibodies to tissue transglutaminase with conventional serological tests in the diagnosis of coeliac disease. Eur J Gastroenterol Hepatol 2003 Sep; 15(9): 1001-4.

105 van der Windt DA, Jellema P, Mulder CJ, Kneepkens CM, van der Horst HE. Diagnostic testing for celiac disease among patients with abdominal symptoms: a systematic review. JAMA. 2010 May 5; 303(17): 1738-46. doi: 10.1001/jama.2010.549.

106 Cataldo F, Lio D, Marino V, Picarelli A, Ventura A, Corazza GR. IgG(1) antiendomysium and IgG antitissue transglutaminase (anti-tTG) antibodies in coeliac patients with selective IgA deficiency. Working Groups on Celiac Disease of SIGEP and Club del Tenue. Gut. 2000 Sep; 47(3): 366-9.

107 Biesiekierski JR, Newnham ED, Irving PM, Barrett JS, Haines M, Doecke JD, Shepherd SJ, Muir JG, Gibson PR. Gluten causes gastrointestinal symptoms in subjects without celiac disease: a double-blind randomized placebo-controlled trial. Am J Gastroenterol. 2011 Mar; 106(3): 508-14; quiz 515. doi: 10.1038/ajg.2010.487.

108 Sapone A, Lammers KM, Casolaro V, et al. Divergence of gut permeability and mucosal immune gene expression in two gluten-associated conditions: celiac disease and gluten sensitivity. BMC Med 2011; 9: 23.

109 Bernardo D, Garrote JA, Arranz E. Are non-celiac disease gluten-intolerant patients innate immunity responders to gluten? Am J Gastroenterol. 2011 Dec; 106(12): 2201; author reply 2201-2.

110 Di Sabatino A, Corazza GR. Nonceliac gluten sensitivity: sense or sensibility? Ann Intern Med 2012; 156: 309-11.

111 Kaukinen K, Turjanmaa K, Mäki M, Partanen J, Venäläinen R, Collin P et al. Intolerance to cereals is not specific for coeliac disease. Scand J Gastroenterol. 2000; 35: 942-6.

112 Jackson JR, Eaton WW, Cascella NG, Fasano A, Kelly DL. Neurologic and psychiatric manifestations of celiac disease and gluten sensitivity. Psychiatr Q. 2012; 83: 91-102.

113 Sanz Y. Effects of a gluten-free diet on gut microbiota and immune function in healthy adult humans. Gut Microbes. 2010 May-Jun; 1(3): 135-7.

114 Caminero A, Nistal E, Arias L, Vivas S, Comino I, Real A, Sousa C, de Morales JM, Ferrero MA, Rodríguez-Aparicio LB, Casqueiro J. A gluten metabolism study in healthy individuals shows the presence of faecal glutenasic activity. Eur J Nutr. 2012 Apr; 51(3): 293-9.

115 Boivin M. Socioeconomic impact of irritable bowel syndrome in Canada. Can J Gastroenterol. 2001 Oct; 15 Suppl B: 8B-11B.

116 Wilson S, Roberts L, Roalfe A, Bridge P, Singh S. Prevalence of irritable bowel syndrome: a community survey. Br J Gen Pract. 2004 Jul; 54(504): 495-502.

117 Birtwhistle Richard V. Syndrome du côlon irritable : Les traitements complémentaires et de médecine douce sont-ils utiles? Canadian family physician 2009, vol. 55, noFEV, pp. 128-129.

118 Kennedy T, Jones R, Darnley S, Seed P, Wessely S, Chalder T. Cognitive behaviour therapy in addition to antispasmodic treatment for irritable bowel syndrome in primary care: randomised controlled trial. BMJ. 2005 Aug 20; 331(7514): 435.

119 Vahedi H, Merat S, Rashidioon A, Ghoddoosi A, Malekzadeh R. The effect of fluoxetine in patients with pain and constipation-predominant irritable bowel syndrome: a double-blind randomized-controlled study. Aliment Pharmacol Ther. 2005 Sep 1; 22(5): 381-5.

120 Macpherson H, Tilbrook H, Bland MJ, Bloor K, Brabyn S, Cox H, Kang'ombe AR, Man MS, Stuardi T, Torgerson D, Watt I, Whorwell P. Acupuncture for irritable bowel syndrome: primary care based pragmatic randomised controlled trial. BMC Gastroenterol. 2012 Oct 24; 12(1): 150.

121 Ford AC, Talley NJ, Spiegel BM, Foxx-Orenstein AE, Schiller L, Quigley EM, Moayyedi P. Effect of fibre, antispasmodics, and peppermint oil in the treatment of irritable bowel syndrome: systematic review and meta-analysis. BMJ. 2008 Nov 13; 337: a2313. doi: 10.1136/bmj.a2313.

122 Stojanovich L, Marisavljevich D. Stress as a trigger of autoimmune disease. Autoimmun Rev. 2008 Jan; 7(3): 209-13. doi: 10.1016/j.autrev.2007.11.007.

123 Edmondson D, Richardson S, Falzon L, Davidson KW, Mills MA, Neria Y. Posttraumatic stress disorder prevalence and risk of recurrence in acute coronary syndrome patients: a meta-analytic review. PLoS One. 2012; 7(6): e38915. doi: 10.1371/journal.pone.0038915.

124 Haczku A, Panettieri RA Jr. Social stress and asthma: the role of corticosteroid insensitivity. J Allergy Clin Immunol. 2010 Mar; 125(3): 550-8. doi: 10.1016/j.jaci.2009.11.005.

125 Suárez AL, Feramisco JD, Koo J, Steinhoff M. Psychoneuroimmunology of psychological stress and atopic dermatitis: pathophysiologic and therapeutic updates. Acta Derm Venereol. 2012 Jan; 92(1): 7-15. doi: 10.2340/00015555-1188.

126 Chida Y, Hamer M, Steptoe A. A bidirectional relationship between psychosocial factors and atopic disorders: a systematic review and meta-analysis. Psychosom Med. 2008 Jan; 70(1): 102-16.

127 Moreno-Smith M, Lutgendorf SK, Sood AK. Impact of stress on cancer metastasis. Future Oncol. 2010 Dec; 6(12): 1863-81. doi: 10.2217/fon.10.142.

128 Artemiadis AK, Anagnostouli MC, Alexopoulos EC. Stress as a risk factor for multiple sclerosis onset or relapse: a systematic review. Neuroepidemiology. 2011; 36(2): 109-20. doi: 10.1159/000323953.

129 Dave ND, Xiang L, Rehm KE, Marshall GD Jr. Stress and allergic diseases. Immunol Allergy Clin North Am. 2011 Feb; 31(1): 55-68. doi: 10.1016/j.iac.2010.09.009.

130 Larzelere MM, Jones GN. Stress and health. Prim Care. 2008 Dec; 35(4): 839-56. doi: 10.1016/j.pop.2008.07.011.

131 Miller GE, Chen E, Parker KJ. Psychological stress in childhood and susceptibility to the chronic diseases of aging: moving toward a model of behavioral and biological mechanisms. Psychol Bull. 2011 Nov; 137(6): 959-97. doi: 10.1037/a0024768.

132 Orr WC, Crowell MD, Lin B, Harnish MJ, Chen JD. Sleep and gastric function in irritable bowel syndrome: derailing the brain-gut axis. Gut. 1997 Sep; 41(3): 390-3.

133 Konturek PC, Brzozowski T, Konturek SJ. Stress and the gut: pathophysiology, clinical consequences, diagnostic approach and treatment options. J Physiol Pharmacol. 2011 Dec; 62(6): 591-9.

134 Chakraborti SK, Dey BK, Ghosh N, Chaudhury AN, Guha Mazumder DN. Objective evaluation of psychological abnormality in irritable bowel syndrome. Indian J Gastroenterol. 1996 Apr; 15(2): 43-5.

135 Blanchard EB, Scharff L, Schwarz SP, Suls JM, Barlow DH. The role of anxiety and depression in the irritable bowel syndrome. Behav Res Ther. 1990; 28(5): 401-5.

136 Belmonte L, Beutheu Youmba S, Bertiaux-Vandaële N, Antonietti M, Lecleire S, Zalar A, Gourcerol G, Leroi AM, Déchelotte P, Coëffier M, Ducrotté P. Role of toll like receptors in irritable bowel syndrome: differential mucosal immune activation according to the disease subtype. PLoS One. 2012; 7(8): e42777. doi: 10.1371/journal.pone.0042777.

137 Matricon J, Meleine M, Gelot A, Piche T, Dapoigny M, Muller E, Ardid D. Review article: Associations between immune activation, intestinal permeability and the irritable bowel syndrome. Aliment Pharmacol Ther. 2012 Dec; 36(11-12): 1009-31.

138 Sainsbury A, Sanders DS, Ford AC. Prevalence of Irritable Bowel Syndrome-Type Symptoms in Patients with Celiac, Disease: A Meta-analysis. Clin Gastroenterol Hepatol. 2012 Dec 13. pii: S1542-3565(12)01491-7. doi: 10.1016/j.cgh.2012.11.033.

139 Whelan K. Probiotics and prebiotics in the management of irritable bowel syndrome: a review of recent clinical trials and systematic reviews. Curr Opin Clin Nutr Metab Care. 2011 Nov; 14(6): 581-7. doi: 10.1097/MCO.0b013e32834b8082.

140 Camilleri M, Tack JF. Current medical treatments of dyspepsia and irritable bowel syndrome. Gastroenterol Clin North Am. 2010 Sep; 39(3): 481-93. doi: 10.1016/j.gtc.2010.08.005.

141 Wahnschaffe U, Schulzke JD, Zeitz M, Ullrich R. Predictors of clinical response to gluten-free diet in patients diagnosed with diarrhea-predominant irritable bowel syndrome. Clin Gastroenterol Hepatol. 2007 Jul; 5(7): 844-50; quiz 769.

142 Aziz I, Sanders DS. The irritable bowel syndrome-celiac disease connection. Gastrointest Endosc Clin N Am. 2012 Oct; 22(4): 623-37. doi: 10.1016/j.giec.2012.07.009.

143 Verdu EF. Editorial: Can gluten contribute to irritable bowel syndrome? Am J Gastroenterol. 2011 Mar; 106(3): 516-8. doi: 10.1038/ajg.2010.490.

144 Carroccio A, Brusca I, Mansueto P, D'alcamo A, Barrale M, Soresi M, Seidita A, La Chiusa SM, Iacono G, Sprini D. A comparison between two different in vitro basophil activation tests for gluten- and cow's milk protein sensitivity in irritable bowel syndrome (IBS)-like patients. Clin Chem Lab Med. 2012 Nov 23: 1-7. doi: 10.1515/cclm-2012-0609.

145 Peters U, Askling J, Gridley G, Ekbom A, Linet M. Causes of death in patients with celiac disease in a population-based Swedish cohort. Arch Intern Med. 2003 Jul 14; 163(13): 1566-72.

146 Tursi A, Giorgetti GM, Brandimarte G, Elisei W. Crohn's disease and celiac disease: association or epiphenomenon? Eur Rev Med Pharmacol Sci. 2006 May-Jun; 10(3): 127-30.

147 Tursi A, Giorgetti GM, Brandimarte G, Elisei W. High prevalence of celiac disease among patients affected by Crohn's disease. Inflamm Bowel Dis. 2005 Jul; 11(7): 662-6.

148 Cosnes J, Gower-Rousseau C, Seksik P, Cortot A. Epidemiology and natural history of inflammatory bowel diseases. Gastroenterology. 2011 May; 140(6): 1785-94. doi: 10.1053/j.gastro.2011.01.055.

149 Festen EA, Goyette P, Green T, Boucher G, Beauchamp C, Trynka G, Dubois PC, Lagacé C, Stokkers PC, Hommes DW, Barisani D, Palmieri O, Annese V, van Heel DA, Weersma RK, Daly MJ, Wijmenga C, Rioux JD. A meta-analysis

of genome-wide association scans identifies IL18RAP, PTPN2, TAGAP, and PUS10 as shared risk loci for Crohn's disease and celiac disease. PLoS Genet. 2011 Jan 27; 7(1): e1001283. doi: 10.1371/journal.pgen.1001283.

150 Wapenaar MC, Monsuur AJ, van Bodegraven AA, Weersma RK, Bevova MR, Linskens RK, Howdle P, Holmes G, Mulder CJ, Dijkstra G, van Heel DA, Wijmenga C. Associations with tight junction genes PARD3 and MAGI2 in Dutch patients point to a common barrier defect for coeliac disease and ulcerative colitis. Gut. 2008 Apr; 57(4): 463-7.

151 Ricanek P, Lothe SM, Frye SA, Rydning A, Vatn MH, Tønjum T. Gut bacterial profile in patients newly diagnosed with treatment-naïve Crohn's disease. Clin Exp Gastroenterol. 2012; 5: 173-86. doi: 10.2147/CEG.S33858.

152 Mahendran V, Riordan SM, Grimm MC, Tran TA, Major J, Kaakoush NO, Mitchell H, Zhang L. Prevalence of Campylobacter species in adult Crohn's disease and the preferential colonization sites of Campylobacter species in the human intestine. PLoS One. 2011; 6(9): e25417. doi: 10.1371/journal.pone.0025417.

153 Morgan XC, Tickle TL, Sokol H, Gevers D, Devaney KL, Ward DV, Reyes JA, Shah SA, Leleiko N, Snapper SB, Bousvaros A, Korzenik J, Sands BE, Xavier RJ, Huttenhower C. Dysfunction of the intestinal microbiome in inflammatory bowel disease and treatment. Genome Biol. 2012 Apr 16; 13(9): R79. doi: 10.1186/gb-2012-13-9-r79.

154 Candelli M, Papa A, Nista EC, Danese S, Armuzzi A, Bartolozzi F, Tondi P, Ojetti V, Gasbarrini G, Gasbarrini A. Antibodies to Saccharomyces cerevisiae: are they useful in clinical practice? Hepatogastroenterology. 2003 May-Jun; 50(51): 718-20.

155 Riordan AM, Hunter JO, Cowan RE, Crampton JR, Davidson AR, Dickinson RJ, Dronfield MW, Fellows IW, Hishon S, Kerrigan GN, et al. Treatment of active Crohn's disease by exclusion diet: East Anglian multicentre controlled trial. Lancet. 1993 Nov 6; 342(8880): 1131-4.

156 Gentschew L, Ferguson LR. Role of nutrition and microbiota in susceptibility to inflammatory bowel diseases. Mol Nutr Food Res. 2012 Apr; 56(4): 524-35. doi: 10.1002/mnfr.201100630.

157 Hou JK, Abraham B, El-Serag H. Dietary intake and risk of developing inflammatory bowel disease: a systematic review of the literature. Am J Gastroenterol. 2011 Apr; 106(4): 563-73. doi: 10.1038/ajg.2011.44.

158 Riordan AM, Rucker JT, Kirby GA, Hunter JO. Food intolerance and Crohn's disease. Gut. 1994 Apr; 35(4): 571-2.

159 Greenstein AJ, Janowitz HD, Sachar DB. The extra-intestinal complications of Crohn's disease and ulcerative colitis: a study of 700 patients. Medicine (Baltimore). 1976 Sep; 55(5): 401-12.

160 Tiwana H, Natt RS, Benitez-Brito R, Shah S, Wilson C, Bridger S, Harbord M, Sarner M, Ebringer A. Correlation between the immune responses to collagens type I, III, IV and V and Klebsiella pneumoniae in patients with Crohn's disease and ankylosing spondylitis. Rheumatology (Oxford). 2001 Jan; 40(1): 15-23.

161 Rashid T, Ebringer A. Gut-mediated and HLA-B27-associated arthritis: an emphasis on ankylosing spondylitis and Crohn's disease with a proposal for the use of new treatment. Discov Med. 2011 Sep; 12(64): 187-94.

162 Brewerton DA, Hart FD, Nicholls A, Caff rey M, James DC, Sturrock RD. Ankylosing spondylitis and HL-A 27. Lancet 1973; 301: 904–07.

163 van der Linden SM, Valkenburg HA, de Jongh BM, Cats A. The risk of developing ankylosing spondylitis in HLA-B27 positive individuals. A comparison of relatives of spondylitis patients with the general population. Arthritis Rheum 1984; 27: 241–19.

164 Taurog JD, Richardson JA, Croft JT, et al. The germfree state prevents development of gut and joint infl ammatory disease in HLA-B27 transgenic rats. J Exp Med 1994; 180: 2359–64.

165 De Vos M, Cuvelier C, Mielants H, Veys E, Barbier F, Elewaut A. Ileocolonoscopy in seronegative spondylarthropathy. Gastroenterology 1989; 96: 339–44.

166 Toğrol RE, Nalbant S, Solmazgül E, Ozyurt M, Kaplan M, Kiralp MZ, Dinçer U, Sahan B. The significance of coeliac disease antibodies in patients with ankylosing spondylitis: a case-controlled study. J Int Med Res. 2009 Jan-Feb; 37(1): 220-6.

167 Sieper J, Braun J, Kingsley GH. Report on the fourth international workshop on reactive arthritis. Arthritis Rheum 2000; 43: 720–34.

168 Poole AR. The histopathology of ankylosing spondylitis: are there unifying hypotheses? Am J Med Sci 1998; 316: 228–33.

169 Maksymowych WP. Ankylosing spondylitis—at the interface of bone and cartilage. J Rheumatol 2000; 27: 2295–301.

170 Arthritis Rheum. 1995 Apr; 38(4): 499-505.Use of immunohistologic and in situ hybridization techniques in the examination of sacroiliac joint biopsy specimens from patients with ankylosing spondylitis. Braun J, Bollow M, Neure L, Seipelt E, Seyrekbasan F, Herbst H, Eggens U, Distler A, Sieper J.

171 Bollow M, Fischer T, Reisshauer H, et al. Quantitative analyses of sacroiliac biopsies in spondyloarthropathies: T cells and macrophages predominate in early and active sacroiliitis-cellularity correlates with the degree of enhancement detected by magnetic resonance imaging. Ann Rheum Dis 2000; 59: 135–40.

172 Clin Rheumatol. 1996 Jan;15 Suppl 1: 62-66. The use of a low starch diet in the treatment of patients suffering from ankylosing spondylitis. Ebringer A, Wilson C.

173 Stahl EA, Raychaudhuri S, Remmers EF, Xie G, Eyre S, Thomson BP, Li Y, Kurreeman FA, Zhernakova A, Hinks A, et al. Genome-wide association study meta-analysis identifies seven new rheumatoid arthritis risk loci. Nat Genet. 2010; 42: 508–514.

174 Pruijn GJ, Wiik A, van Venrooij WJ. The use of citrullinated peptides and proteins for the diagnosis of rheumatoid arthritis. Arthritis Res Ther. 2010; 12(1): 203.

175 Schellekens GA, Visser H, de Jong BA, et al. The diagnostic properties of rheumatoid arthritis antibodies recognizing a cyclic citrullinated peptide. Arthritis Rheum. 2000; 43(1): 155-63.

176 van der Heijde DM, van Riel PL, van Rijswijk MH, van de Putte LB. Influence of prognostic features on the final outcome in rheumatoid arthritis: a review of the literature. Semin Arthritis Rheum. 1988; 17(4): 284-92.

177 Saag KG, Teng GG, Patkar NM, et al. American College of Rheumatology 2008 recommendations for the use of nonbiologic and biologic diseasemodifying antirheumatic drugs in rheumatoid arthritis. Arthritis Rheum. 2008; 59(6): 762-84.

178 Raychaudhuri S. Recent advances in the genetics of rheumatoid arthritis. Curr Opin Rheumatol. 2010 Mar; 22(2): 109-18.

179 Sugiyama D, Nishimura K, Tamaki K, Tsuji G, Nakazawa T, Morinobu A, Kumagai S. Impact of smoking as a risk factor for developing rheumatoid arthritis: a meta-analysis of observational studies. Ann Rheum Dis. 2010 Jan; 69(1): 70-81.

180 Maxwell JR, Gowers IR, Moore DJ, Wilson AG. Alcohol consumption is inversely associated with risk and severity of rheumatoid arthritis. Rheumatology (Oxford). 2010 Nov; 49(11): 2140-6.

181 Scher JU, Abramson SB. The microbiome and rheumatoid arthritis. Nat Rev Rheumatol. 2011 Aug 23; 7(10): 569-78.

182 Koot VC, Van Straaten M, Hekkens WT, Collee G, Dijkmans BA. Elevated level of IgA gliadin antibodies in patients with rheumatoid arthritis. Clin Exp Rheumatol. 1989 Nov-Dec; 7(6): 623-6.

183 Paimela L, Kurki P, Leirisalo-Repo M, Piirainen H. Gliadin immune reactivity in patients with rheumatoid arthritis. Clin Exp Rheumatol. 1995 Sep-Oct; 13(5): 603-7.

184 Koehne Vde B, Bahia M, Lanna CC, Pinto MR, Bambirra EA, Cunha AS. Prevalence of serological markers for celiac disease (IgA and IgG class antigliadin antibodies and IgA class antiendomysium antibodies) in patients with autoimmune rheumatologic diseases in Belo Horizonte, MG, Brazil. Arq Gastroenterol. 2010 Jul-Sep; 47(3): 250-6.

185 Kjeldsen-Kragh J, Haugen M, Borchgrevink CF, Laerum E, Eek M, Mowinkel P, Hovi K, Førre O. Controlled trial of fasting and one-year vegetarian diet in rheumatoid arthritis. Lancet. 1991 Oct 12; 338(8772): 899-902.

186 Kjeldsen-Kragh J. Rheumatoid arthritis treated with vegetarian diets. Am J Clin Nutr. 1999 Sep; 70(3 Suppl): 594S-600S.

187 Elkan AC, Sjöberg B, Kolsrud B, Ringertz B, Hafström I, Frostegård J. Gluten-free vegan diet induces decreased LDL and oxidized LDL levels and raised atheroprotective natural antibodies against phosphorylcholine in patients with rheumatoid arthritis: a randomized study. Arthritis Res Ther. 2008; 10(2): R34.

188 Felson DT, Couropmitree NN, Chaisson CE, et al. Evidence for a Mendelian gene in a segregation analysis of generalized radio-graphic osteoarthritis. The Framingham Study. Arthr Rheum. 1998; 41: 1064–1071.

189 Andrianakos AA, Kontelis LK, Karamitsos DG, et al. Prevalence of symptomatic knee, hand and hip osteoarthritis in Greece. The ESORDIG study. J Rheumatology. 2006; 33: 2507–2513.

190 Michael JW, Schlüter-Brust KU, Eysel P. The epidemiology, etiology, diagnosis, and treatment of osteoarthritis of the knee. Dtsch Arztebl Int. 2010 Mar; 107(9): 152-62.

191 Valdes AM, Spector TD. The contribution of genes to osteoarthritis. Rheum Dis Clin North Am. 2008 Aug; 34(3): 581-603.

192 Bosomworth NJ. Exercise and knee osteoarthritis: benefit or hazard? Can Fam Physician. 2009 Sep; 55(9): 871-8.

193 Spector TD, Cicuttini F, Baker J, Loughlin J, Hart D. Genetic influences on osteoarthritis in women: a twin study. BMJ. 1996 Apr 13; 312(7036): 940-3.

194 Han Z, Liu Q, Sun C, Li Y. The Interaction Between Obesity and RAGE Polymorphisms on the Risk of Knee Osteoarthritis in Chinese Population. Cell Physiol Biochem. 2012 Sep 13; 30(4): 898-904.

195 Rasheed Z, Haqqi TM. Endoplasmic reticulum stress induces the expression of COX-2 through activation of eIF2α, p38-MAPK and NF-ϰB in advanced glycation end products stimulated human chondrocytes. Biochim Biophys Acta. 2012 Dec; 1823(12): 2179-89.

196 Chayanupatkul M, Honsawek S. Soluble receptor for advanced glycation end products (sRAGE) in plasma and synovial fluid is inversely associated with disease severity of knee osteoarthritis. Clin Biochem. 2010 Sep; 43(13-14): 1133-7.

197 Hiraiwa H, Sakai T, Mitsuyama H, Hamada T, Yamamoto R, Omachi T, Ohno Y, Nakashima M, Ishiguro N. Inflammatory effect of advanced glycation end products on human meniscal cells from osteoarthritic knees. Inflamm Res. 2011 Nov; 60(11): 1039-48.

198 Braun M, Hulejová H, Gatterová J, Filková M, Pavelková A, Sléglová O, Kaspříková N, Vencovský J, Pavelka K, Senolt L. Pentosidine, an advanced glycation end-product, may reflect clinical and morphological features of hand osteoarthritis. Open Rheumatol J. 2012; 6: 64-9.

199 Henning C, Smuda M, Girndt M, Ulrich C, Glomb MA. Molecular basis of maillard amide-advanced glycation end product (AGE) formation in vivo. J Biol Chem. 2011 Dec 30; 286(52): 44350-6.

200 Gugliucci A, Bendayan M. Renal fate of circulating advanced glycated end products (AGE): evidence for reabsorption and catabolism of AGE-peptides by renal proximal tubular cells. Diabetologia. 1996 Feb; 39(2): 149-60.

201 Gugliucci A, Mehlhaff K, Kinugasa E, Ogata H, Hermo R, Schulze J, Kimura S. Paraoxonase-1 concentrations in end-stage renal disease patients increase after hemodialysis: correlation with low molecular AGE adduct clearance. Clin Chim Acta. 2007 Feb; 377(1-2): 213-20.

202 Yan SF, Ramasamy R, Schmidt AM. The receptor for advanced glycation endproducts (RAGE) and cardiovascular disease. Expert Rev Mol Med. 2009 Mar 12; 11: e9.

203 Stitt AW. Advanced glycation: an important pathological event in diabetic and age related ocular disease. Br J Ophthalmol. 2001 Jun; 85(6): 746-53.

204 Varela N, Vega C, Valenzuela K. Relationship of consumption of high glycemic index food in the diet and levels of HbA1c in type 2 diabetic

patients treated with diet and/or metformin. Arch Latinoam Nutr. 2012 Mar; 62(1): 23-9.

205 Gerstein HC, Swedberg K, Carlsson J, et al. The hemoglobin A1c level as a progressive risk factor for cardiovascular death, hospitalization for heart failure, or death in patients with chronic heart failure: an analysis of the Candesartan in Heart failure: Assessment of Reduction in Mortality and Morbidity (CHARM) program. Arch Intern Med. 2008 Aug 11; 168(15): 1699–704.

206 Monnier VM, Bautista O, Kenny D, Sell DR, Fogarty J, Dahms W, Cleary PA, Lachin J, Genuth S. Skin collagen glycation, glycoxidation, and crosslinking are lower in subjects with long-term intensive versus conventional therapy of type 1 diabetes: relevance of glycated collagen products versus HbA1c as markers of diabetic complications. DCCT Skin Collagen Ancillary Study Group. Diabetes Control and Complications Trial. Diabetes. 1999 Apr; 48(4): 870-80.

207 Park HY, Kim JH, Jung M, Chung CH, Hasham R, Park CS, Choi EH. A long-standing hyperglycaemic condition impairs skin barrier by accelerating skin ageing process. Exp Dermatol. 2011 Dec; 20(12): 969-74.

208 Verzijl N, DeGroot J, Thorpe SR, Bank RA, Shaw JN, Lyons TJ, Bijlsma JW, Lafeber FP, Baynes JW, TeKoppele JM. Effect of collagen turnover on the accumulation of advanced glycation end products. J Biol Chem. 2000 Dec 15; 275(50): 39027-31.

209 Shane Anderson A, Loeser RF. Why is osteoarthritis an age-related disease? Best Pract Res Clin Rheumatol. 2010 Feb; 24(1): 15-26.

210 Mellen PB, Walsh TF, Herrington DM. Whole grain intake and cardiovascular disease: a meta-analysis. Nutr Metab Cardiovasc Dis. 2008 May; 18(4): 283-90.

211 de Munter JS, Hu FB, Spiegelman D, Franz M, van Dam RM. Whole grain, bran, and germ intake and risk of type 2 diabetes: a prospective cohort study and systematic review. PLoS MedOpens in New Window. 2007; 4: e261.

212 Liu S, Willett WC, Manson JE, Hu FB, Rosner B, Colditz G. Relation between changes in intakes of dietary fiber and grain products and changes in weight and development of obesity among middle-aged women. Am J Clin Nutr. 2003 Nov; 78(5): 920-7.

213 Sun Q, Spiegelman D, van Dam RM, Holmes MD, Malik VS, Willett WC, Hu FB. White rice, brown rice, and risk of type 2 diabetes in US men and women. Arch Intern Med. 2010 Jun 14; 170(11): 961-9.

214 Jenkins DJ, Kendall CW, Augustin LS, Martini MC, Axelsen M, Faulkner D, Vidgen E, Parker T, Lau H, Connelly PW, Teitel J, Singer W, Vandenbroucke AC, Leiter LA, Josse RG. Effect of wheat bran on glycemic control and risk factors for cardiovascular disease in type 2 diabetes. Diabetes Care. 2002 Sep; 25(9): 1522-8.

215 Rosalba Giacco, Jenni Lappi, Giuseppina Costabile, Marjukka Kolehmainen, Ursula Schwab, Rikard Landberg, Matti Uusitupa, Kaisa Poutanen, Giovanni Pacini, Angela A. Rivellese, Gabriele Riccardi, Hannu Mykkanen. Effects of rye and whole wheat versus refined cereal foods on metabolic risk factors: A randomised controlled two-centre intervention study. Clinical nutrition (Edinburgh, Scotland) 8 February 2013. DOI: 10.1016/j.clnu.2013.01.016.

216 Jimenez-Cruz A, Bacardi-Gascon M, Turnbull WH, Rosales-Garay P, Severino-Lugo I. A flexible, low-glycemic index mexican-style diet in overweight and obese subjects with type 2 diabetes improves metabolic parameters during a 6-week treatment period. Diabetes Care. 2003 Jul; 26(7): 1967-70.

217 Jenkins DJ, Kendall CW, Augustin LS, Mitchell S, Sahye-Pudaruth S, Blanco Mejia S, Chiavaroli L, Mirrahimi A, Ireland C, Bashyam B, Vidgen E, de Souza RJ, Sievenpiper JL, Coveney J, Leiter LA, Josse RG. Effect of Legumes as Part of a Low Glycemic Index Diet on Glycemic Control and Cardiovascular Risk Factors in Type 2 Diabetes Mellitus: A Randomized Controlled Trial. Arch Intern Med. 2012 Oct 22: 1-8.

218 F. C. Dohan. Wheat «Consumption» and Hospital Admissions for Schizophrenia During World War II: A Preliminary Report. Am J Clin Nutr 1966 18: 1 7-10.

219 F C Dohan. Coeliac disease and schizophrenia. Br Med J. 1973 July 7; 3(5870): 51–52.

220 D N Vlissides, A Venulet, F A Jenner. A double-blind gluten-free/gluten-load controlled trial in a secure ward population. BJP April 1986 148: 447-52.

221 Kraft BD, Westman EC. Schizophrenia, gluten, and low-carbohydrate, ketogenic diets: a case report and review of the literature. Nutr Metab (Lond). 2009 Feb 26; 6: 10.

222 Karl L. Reichelt, Anders R. Seim, Wenche H. Reichelt. Could schizophrenia be reasonably explained by Dohan's hypothesis on genetic interaction with a dietary peptide overload?, Progress in

Neuro-Psychopharmacology and Biological Psychiatry, Volume 20, Issue 7, October 1996, Pages 1083-1114, ISSN 0278-5846.

223 Kalaydjian AE, Eaton W, Cascella N, Fasano A. The gluten connection: the association between schizophrenia and celiac disease. Acta Psychiatr Scand 2006, 113: 82-90.

224 Dohan Fc. The possible pathogenic effect of cereal grains in schizophrenia Celiac disease as a model. Acta Neurol (Napoli) 1976; 31: 195-205.

225 West J, Logan RF, Hubbard RB, Card TR. Risk of schizophrenia in people with coeliac disease, ulcerative colitis and Crohn's disease: a general population-based study. Aliment Pharmacol Ther. 2006 Jan 1; 23(1): 71-4.

226 Cascella NG, Kryszak D, Bhatti B, Gregory P, Kelly DL, Mc Evoy JP, Fasano A, Eaton WW. Prevalence of celiac disease and gluten sensitivity in the United States clinical antipsychotic trials of intervention effectiveness study population. Schizophr Bull. 2011 Jan; 37(1): 94-100.

227 Cascella NG, Santora D, Gregory P, Kelly DL, Fasano A, Eaton WW. Increased Prevalence of Transglutaminase 6 Antibodies in Sera From Schizophrenia Patients. Schizophr Bull. 2012 Apr 19.

228 Thomas H, Beck K, Adamczyk M, Aeschlimann P, Langley M, Oita RC, Thiebach L, Hils M, Aeschlimann D. Transglutaminase 6: a protein associated with central nervous system development and motor function. Amino Acids. 2013 Jan; 44(1): 161-77.

229 Stefansson H, Ophoff RA, Steinberg S, et al. Common variants conferring risk of schizophrenia. Nature 460, 744-747 (6 August 2009).

230 Samaroo D, Dickerson F, Kasarda DD, Green PH, Briani C, Yolken RH, Alaedini A. Novel immune response to gluten in individuals with schizophrenia. Schizophr Res. 2010 May; 118(1-3): 248-55.

231 Severance EG, Gressitt KL, Halling M, Stallings CR, Origoni AE, Vaughan C, Khushalani S, Alaedini A, Dupont D, Dickerson FB, Yolken RH. Complement C1q formation of immune complexes with milk caseins and wheat glutens in schizophrenia. Neurobiol Dis. 2012 Dec; 48(3): 447-53.

232 Dohan FC. Genetic hypothesis of idiopathic schizophrenia: its exorphin connection. Schizophr Bull. 1988; 14(4): 489-94.

233 Severance EG, Alaedini A, Yang S, Halling M, Gressitt KL, Stallings CR, Origoni AE, Vaughan C, Khushalani S, Leweke FM, Dickerson FB, Yolken RH. Gastrointestinal inflammation and associated immune activation in schizophrenia. Schizophr Res. 2012 Jun; 138(1): 48-53.

234 Zioudrou C, Streaty RA, Klee WA. Opioid peptides derived from food proteins. The exorphins. J Biol Chem. 1979 Apr 10; 254(7): 2446-9.

235 Kurek M, Przybilla B, Hermann K, Ring J. A naturally occurring opioid peptide from cow's milk, beta-casomorphine-7, is a direct histamine releaser in man. Int Arch Allergy Immunol. 1992; 97(2): 115-20.

236 Fanciulli G, Dettori A, Tomasi PA, Demontis MP, Gianorso S, Anania V, Delitala G. Prolactin and growth hormone response to intracerebroventricular administration of the food opioid peptide gluten exorphin B5 in rats. Life Sci. 2002 Oct 4; 71(20): 2383-90.

237 Takahashi M, Fukunaga H, Kaneto H, Fukudome S, Yoshikawa M. Behavioral and pharmacological studies on gluten exorphin A5, a newly isolated bioactive food protein fragment, in mice. Jpn J Pharmacol. 2000 Nov; 84(3): 259-65.

238 Pickar D, Vartanian F, Bunney WE Jr, Maier HP, Gastpar MT, Prakash R, Sethi BB, Lideman R, Belyaev BS, Tsutsulkovskaja MV, Jungkunz G, Nedopil N, Verhoeven W, van Praag H. Short-term naloxone administration in schizophrenic and manic patients. A World Health Organization Collaborative Study. Arch Gen Psychiatry. 1982 Mar; 39(3): 313-9.

239 O'Donovan MC, Williams NM, Owen MJ. Recent advances in the genetics of schizophrenia. Hum Mol Genet. 2003 Oct 15; 12 Spec No 2: R125-33.

240 Gilmore JH, Kang C, Evans DD, Wolfe HM, Smith JK, Lieberman JA, Lin W, Hamer RM, Styner M, Gerig G. Prenatal and neonatal brain structure and white matter maturation in children at high risk for schizophrenia. Am J Psychiatry. 2010 Sep; 167(9): 1083-91.

241 Shi F, Yap PT, Gao W, Lin W, Gilmore JH, Shen D. Altered structural connectivity in neonates at genetic risk for schizophrenia: a combined study using morphological and white matter networks. Neuroimage. 2012 Sep; 62(3): 1622-33.

242 Knickmeyer RC, Wang J, Zhu H, Geng X, Woolson S, Hamer RM, Konneker T, Lin W, Styner M, Gilmore JH. Common Variants in Psychiatric Risk Genes Predict Brain Structure at Birth. Cereb Cortex. 2013 Jan 2.

243 Karlsson H, Blomström Å, Wicks S, Yang S, Yolken RH, Dalman C. Maternal antibodies to dietary antigens and risk for nonaffective psychosis in offspring. Am J Psychiatry. 2012 Jun; 169(6): 625-32.

244 Sewell RA, Ranganathan M, D'Souza DC. Cannabinoids and psychosis. Int Rev Psychiatry. 2009 Apr; 21(2): 152-62.

245 Cohen MR, Cohen RM, Pickar D, Murphy DL. Naloxone reduces food intake in humans. Psychosom Med. 1985 Mar-Apr; 47(2): 132-8.

246 Drewnowski A, Krahn DD, Demitrack MA, Nairn K, Gosnell BA. Naloxone, an opiate blocker, reduces the consumption of sweet high-fat foods in obese and lean female binge eaters. Am J Clin Nutr. 1995 Jun; 61(6): 1206-12.

247 Hadjivassiliou M, Grünewald R, Sharrack B, Sanders D, Lobo A, Williamson C, Woodroofe N, Wood N, Davies-Jones A. Gluten ataxia in perspective: epidemiology, genetic susceptibility and clinical characteristics. Brain. 2003 Mar; 126(Pt 3): 685-91.

248 Wilkinson ID, Hadjivassiliou M, Dickson JM, Wallis L, Grünewald RA, Coley SC, Widjaja E, Griffiths PD. Cerebellar abnormalities on proton MR spectroscopy in gluten ataxia. J Neurol Neurosurg Psychiatry. 2005 Jul; 76(7): 1011-3.

249 Wang JL, Yang X, Xia K, Hu ZM, Weng L, Jin X, Jiang H, Zhang P, Shen L, Guo JF, Li N, Li YR, Lei LF, Zhou J, Du J, Zhou YF, Pan Q, Wang J, Wang J, Li RQ, Tang BS. TGM6 identified as a novel causative gene of spinocerebellar ataxias using exome sequencing. Brain. 2010 Dec; 133(Pt 12): 3510-8.

250 Stamnaes J, Dorum S, Fleckenstein B, Aeschlimann D, Sollid LM. Gluten T cell epitope targeting by TG3 and TG6; implications for dermatitis herpetiformis and gluten ataxia. Amino Acids. 2010 Nov; 39(5): 1183-91.

251 Boscolo S, Lorenzon A, Sblattero D, Florian F, Stebel M, Marzari R, Not T, Aeschlimann D, Ventura A, Hadjivassiliou M, Tongiorgi E. Anti transglutaminase antibodies cause ataxia in mice. PLoS One. 2010 Mar 15; 5(3): e9698.

252 M Hadjivassiliou, G A B Davies-Jones, D S Sanders, R A Grünewald. Dietary treatment of gluten ataxia. J Neurol Neurosurg Psychiatry 2003; 74: 9 1221-1224.

253 Chin RL, Sander HW, Brannagan TH, Green PH, Hays AP, Alaedini A, Latov N. Celiac neuropathy. Neurology 2003; 60: 1581–1585.

254 Hadjivassiliou M, Kandler RH, Chattopadhyay AK, Davies-Jones AG, Jarratt JA, Sanders DS, Sharrack B, Grünewald RA. Dietary treatment of gluten neuropathy. Muscle Nerve. 2006 Dec; 34(6): 762-6.

255 Hadjivassiliou M, Chattopadhyay AK, Davies-Jones GA, Gibson A, Grünewald RA, Lobo AJ. Neuromuscular disorder as a presenting feature of coeliac disease. J Neurol Neurosurg Psychiatry. 1997 Dec; 63(6): 770-5.

256 Alaedini A, Wirguin I, Latov N. Ganglioside agglutination immunoassay for rapid detection of autoantibodies in immune-mediated neuropathy. J Clin Lab Anal. 2001; 15(2): 96-9.

257 Johnson AM, Dale RC, Wienholt L, Hadjivassiliou M, Aeschlimann D, Lawson JA. Coeliac disease, epilepsy, and cerebral calcifications: association with TG6 autoantibodies. Dev Med Child Neurol. 2013 Jan; 55(1): 90-3.

258 Ludvigsson JF, Zingone F, Tomson T, Ekbom A, Ciacci C. Increased risk of epilepsy in biopsy-verified celiac disease: a population-based cohort study. Neurology. 2012 May 1; 78(18): 1401-7.

259 Cronin CC, Jackson LM, Feighery C, Shanahan F, Abuzakouk M, Ryder DQ, Whelton M, Callaghan N. Coeliac disease and epilepsy. QJM 1998; 91: 303–308.

260 Pratesi R, Gandolfi L, Martins RC, Tauil PL, Nobrega YK, Teixeira WA. Is the prevalence of celiac disease increased among epileptic patients? Arq Neuropsiquiatr 2003; 61: 330–334.

261 Luostarinen L, Dastidar P, Collin P, Peraaho M, Maki M, Erila T, Pirttila T. Association between coeliac disease, epilepsy and brain atrophy. Eur Neurol 2001; 46: 187–191.

262 Crosato F, Senter S. Cerebral occipital calcifications in celiac disease. Neuropediatrics 1992; 23: 214–217.

263 Fois A, Vascotto M, Di Bartolo RM, Di Marco V. Celiac disease and epilepsy in pediatric patients. Childs Nerv Syst 1994; 10: 450–454.

264 Arroyo HA, De Rosa S, Ruggieri V, de Davila MT, Fejerman N. Epilepsy, occipital calcifications, and oligosymptomatic celiac disease in childhood. J Child Neurol 2002; 17: 800–806.

265 Peltola M, Kaukinen K, Dastidar P et al. Hippocampal sclerosis in refractory temporal lobe epilepsy is associated with gluten sensitivity.J Neurol Neurosurg Psychiatry 2009 Jun; 80(6): 626-30.

266 Cernibori A, Gobbi G. Partial seizures, cerebral calcifications and celiac disease. Ital J Neurol Sci 1995; 16: 187–191.

267 Pratesi R, Modelli IC, Martins RC, Almeida PL, Gandolfi L. Celiac disease and epilepsy: favorable outcome in a child with difficult to control seizures. Acta Neurol Scand 2003; 108: 290–293.

268 Benjilali L, Zahlane M, Essaadouni L. A migraine as initial presentation of celiac disease. Rev Neurol (Paris). 2012 May; 168(5): 454-6.

269 Gabrielli M, Cremonini F, Fiore G, Addolorato G, Padalino C, Candelli M, De Leo ME, Santarelli L, Giacovazzo M, Gasbarrini A, Pola P.

Association between migraine and Celiac disease: results from a preliminary case-control and therapeutic study. Am J Gastroenterol 2003; 98: 625–629.

270 Zelnik N, Pacht A, Obeid R, Lerner A. Range of neurologic disorders in patients with celiac disease. Pediatrics 2004; 113: 1672–1676.

271 Spina M, Incorpora G, Trigilia T, Branciforte F, Franco G, Di Gregorio F. [Headache as atypical presentation of celiac disease: report of a clinical case]. Pediatr Med Chir 2001; 23: 133–135.

272 Serratrice J, Disdier P, de Roux C, Christides C, Weiller PJ. Migraine and coeliac disease. Headache 1998; 38: 627–628.

273 Hallert C, Astrom J. Psychic disturbances in adult coeliac disease. II. Psychological findings. Scand J Gastroenterol 1982; 17: 21–24.

274 Ciacci C, Iavarone A, Mazzacca G, De Rosa A. Depressive symptoms in adult coeliac disease. Scand J Gastroenterol 1998; 33: 247–250.

275 Carta MG, Hardoy MC, Boi MF, Mariotti S, Carpiniello B, Usai P. Association between panic disorder, major depressive disorder and celiac disease: a possible role of thyroid autoimmunity. J Psychosom Res 2002; 53: 789–793.

276 Addolorato G, Capristo E, Ghittoni G, Valeri C, Masciana R, Ancona C, Gasbarrini G. Anxiety but not depression decreases in coeliac patients after one-year gluten-free diet: a longitudinal study. Scand J Gastroenterol 2001; 36: 502–506.

277 Hallert C, Astrom J, Walan A. Reversal of psychopathology in adult coeliac disease with the aid of pyridoxine (vitamin B6). Scand J Gastroenterol 1983; 18: 299–304.

278 Christison GW, Ivany K. Elimination diets in autism spectrum disorders: any wheat amidst the chaff? J Dev Behav Pediatr. 2006 Apr; 27(2 Suppl): S162-71.

279 Whiteley P, Shattock P, Knivsberg AM, Seim A, Reichelt KL, Todd L, Carr K, Hooper M. Gluten- and casein-free dietary intervention for autism spectrum conditions. Front Hum Neurosci. 2012; 6: 344. doi: 10.3389/fnhum.2012.00344.

280 Landrigan P, Lambertini L, Birnbaum L, A Research Strategy to Discover the Environmental Causes of Autism and Neurodevelopmental Disabilities. Environ Health Perspect. 2012. doi: 10.1289/ehp.1104285.

281 Cordain L, Lindeberg S, Hurtado M, Hill K, Eaton SB, Brand-Miller J. Acne vulgaris: a disease of Western civilization. Arch Dermatol. 2002 Dec; 138(12): 1584-90.

282 Walton S, Wyat EH, Cunliffe WJ. Genetic control of sebum excretion and acne: a twin study. Br J Dermatol. 1989; 121: 144-145.

283 Taylor M, Gonzalez M, Porter R. Pathways to inflammation: acne pathophysiology. Eur J Dermatol. 2011 May-Jun; 21(3): 323-33.

284 Strauss JS, Krowchuk DP, Leyden JJ, Lucky AW, Shalita AR, Siegfried EC, Thiboutot DM, Van Voorhees AS, Beutner KA, Sieck CK, Bhushan R; American Academy of Dermatology/American Academy of Dermatology Association. Guidelines of care for acne vulgaris management. J Am Acad Dermatol. 2007 Apr; 56(4): 651-63.

285 Melnik B, Jansen T, Grabbe S. Abuse of anabolic-androgenic steroids and bodybuilding acne: an underestimated health problem. J Dtsch Dermatol Ges. 2007 Feb; 5(2): 110-7.

286 Dreno B, Foulc P, Reynaud A, Moyse D, Habert H, Richet H. Effect of zinc gluconate on propionibacterium acnes resistance to erythromycin in patients with inflammatory acne: in vitro and in vivo study. Eur J Dermatol. 2005 May-Jun; 15(3): 152-5.

287 Bremner JD, Shearer KD, McCaffery PJ. Retinoic acid and affective disorders: the evidence for an association. J Clin Psychiatry. 2012 Jan; 73(1): 37-50.

288 Berra B, Rizzo AM. Glycemic index, glycemic load: new evidence for a link with acne. J Am Coll Nutr. 2009 Aug; 28 Suppl: 450S-454S.

289 Melnik BC. Diet in acne: further evidence for the role of nutrient signalling in acne pathogenesis. Acta Derm Venereol. 2012 May; 92(3): 228-31.

290 Ferdowsian HR, Levin S. Does diet really affect acne? Skin Therapy Lett. 2010 Mar; 15(3): 1-2, 5.

291 Ismail NH, Manaf ZA, Azizan NZ. High glycemic load diet, milk and ice cream consumption are related to acne vulgaris in Malaysian young adults: a case control study. BMC Dermatol. 2012 Aug 16; 12: 13.

292 Melnik BC, Schmitz G. Role of insulin, insulin-like growth factor-1, hyperglycaemic food and milk consumption in the pathogenesis of acne vulgaris. Exp Dermatol. 2009 Oct; 18(10): 833-41.

293 Smith RN, Mann NJ, Braue A, Mäkeläinen H, Varigos GA. The effect of a high-protein, low glycemic-load diet versus a conventional, high glycemic-load diet on biochemical parameters associated with acne vulgaris: a randomized, investigator-masked, controlled trial. J Am Acad Dermatol. 2007 Aug; 57(2): 247-56.

294 Parish LC. Louis A. Duhring 1845-1913: his life and legacy. Acta Dermatovenerol Croat. 2002 Mar; 10(1): 21-4.

295 Bolotin D, Petronic-Rosic V. Dermatitis herpetiformis. Part I. Epidemiology, pathogenesis, and clinical presentation. J Am Acad Dermatol. 2011 Jun; 64(6): 1017-24; quiz 1025-6.

296 Duhring LA. Landmark article, Aug 30, 1884: Dermatitis herpetiformis. By Louis A. Duhring. JAMA. 1983 Jul 8; 250(2): 212-16.

297 Hall RP 3rd, Benbenisty KM, Mickle C, Takeuchi F, Streilein RD. Serum IL-8 in patients with dermatitis herpetiformis is produced in response to dietary gluten. J Invest Dermatol. 2007 Sep; 127(9): 2158-65.

298 Sárdy M, Kárpáti S, Merkl B, Paulsson M, Smyth N. Epidermal transglutaminase (TGase 3) is the autoantigen of dermatitis herpetiformis. J Exp Med. 2002 Mar 18; 195(6): 747-57.

299 Abenavoli L, Proietti I, Leggio L, Ferrulli A, Vonghia L, Capizzi R, Rotoli M, Amerio PL, Gasbarrini G, Addolorato G. Cutaneous manifestations in celiac disease. World J Gastroenterol. 2006 Feb 14; 12(6): 843-52.

300 Parnell N, Ciclitira PJ. Celiac disease. Curr Opin Gastroenterol. 1999 Mar; 15(2): 120-4.

301 Bolotin D, Petronic-Rosic V. Dermatitis herpetiformis. Part II. Diagnosis, management, and prognosis. J Am Acad Dermatol. 2011 Jun; 64(6): 1027-33; quiz 1033-4.

302 Junkins-Hopkins JM. Dermatitis herpetiformis: pearls and pitfalls in diagnosis and management. J Am Acad Dermatol. 2010 Sep; 63(3): 526-8.

303 Alonso-Llamazares J, Gibson LE, Rogers RS 3rd. Clinical, pathologic, and immunopathologic features of dermatitis herpetiformis: review of the Mayo Clinic experience. Int J Dermatol. 2007 Sep; 46(9): 910-9.

304 Abenavoli L, Proietti I, Leggio L, Ferrulli A, Vonghia L, Capizzi R, Rotoli M, Amerio PL, Gasbarrini G, Addolorato G. Cutaneous manifestations in celiac disease. World J Gastroenterol. 2006 Feb 14; 12(6): 843-52.

305 Veal CD, Capon F, Allen MH, Heath EK, Evans JC, Jones A, Patel S, Burden D, Tillman D, Barker JN, Trembath RC. Family-based analysis using a dense single-nucleotide polymorphism-based map defines genetic variation at PSORS1, the major psoriasis-susceptibility locus. Am J Hum Genet. 2002 Sep; 71(3): 554-64.

306 Liu Y, Helms C, Liao W, Zaba LC, Duan S, Gardner J, Wise C, Miner A, Malloy MJ, Pullinger CR, Kane JP, Saccone S, Worthington J, Bruce I, Kwok PY, Menter A, Krueger J, Barton A, Saccone NL, Bowcock AM. A genome-wide

association study of psoriasis and psoriatic arthritis identifies new disease loci. PLoS Genet. 2008 Mar 28; 4(3): e1000041.

307 Baker BS, Swain AF, Griffiths CE, Leonard JN, Fry L, Valdimarsson H. Epidermal T lymphocytes and dendritic cells in chronic plaque psoriasis: the effects of PUVA treatment. Clin Exp Immunol. 1985 Sep; 61(3): 526-34.

308 Mailliard RB, Egawa S, Cai Q, Kalinska A, Bykovskaya SN, Lotze MT, Kapsenberg ML, Storkus WJ, Kalinski P. Complementary dendritic cell-activating function of CD8+ and CD4+ T cells: helper role of CD8+ T cells in the development of T helper type 1 responses. J Exp Med. 2002 Feb 18; 195(4): 473-83.

309 Rich SJ, Bello-Quintero CE. Advancements in the treatment of psoriasis: role of biologic agents. J Manag Care Pharm. 2004 Jul-Aug; 10(4): 318-25.

310 Kirby B, Griffiths CE. Novel immune-based therapies for psoriasis. Br J Dermatol. 2002 Apr; 146(4): 546-51.

311 Michaëlsson G, Kraaz W, Gerdén B, Hagforsen E, Lundin IP, Lööf L, Sj-oberg O, Scheynius A. Patients with psoriasis have elevated levels of serum eosinophil cationic protein and increased numbers of EG2 positive eosinophils in the duodenal stroma. Br J Dermatol. 1996 Sep; 135(3): 371-8.

312 Ozden MG, Tekin NS, Gürer MA, Akdemir D, Doğramacı C, Utaş S, Akman A, Evans SE, Bahadır S, Oztürkcan S, Ikizoğlu G, Sendur N, Köse O, Bek Y, Yaylı S, Cantürk T, Turanl AY. Environmental risk factors in pediatric psoriasis: a multicenter case-control study. Pediatr Dermatol. 2011 May-Jun; 28(3): 306-12.

313 Lowes MA, Bowcock AM, Krueger JG. Pathogenesis and therapy of psoriasis. Nature 2007: 445; 866-73.

314 Bos JD, De Rie MA. The pathogenesis of psoriasis: immunological facts and speculations. Immunol Today 1999: 20: 40-46.

315 Frikha F, Snoussi M, Bahloul Z. Osteomalacia associated with cutaneous psoriasis as the presenting feature of coeliac disease: a case report. Pan Afr Med J. 2012; 11: 58.

316 Singh S, Sonkar GK, Usha, Singh S. Celiac disease-associated antibodies in patients with psoriasis and correlation with HLA Cw6. J Clin Lab Anal. 2010; 24(4): 269-72.

317 Abenavoli L, Leggio L, Ferrulli A, Vonghia L, Gasbarrini G, Addolorato G. Association between psoriasis and coeliac disease. Br J Dermatol. 2005 Jun; 152(6): 1393-4.

318 Nagui N, El Nabarawy E, Mahgoub D, Mashaly HM, Saad NE, El-Deeb DF. Estimation of (IgA) anti-gliadin, anti-endomysium and tissue transglutaminase in the serum of patients with psoriasis. Clin Exp Dermatol. 2011 Apr; 36(3): 302-4.

319 Michaëlsson G, Gerdén B, Ottosson M, Parra A, Sjöberg O, Hjelmquist G, Lööf L. Patients with psoriasis often have increased serum levels of IgA antibodies to gliadin. Br J Dermatol. 1993 Dec; 129(6): 667-73.

320 Wolters M. Diet and psoriasis: experimental data and clinical evidence. Br J Dermatol. 2005 Oct; 153(4): 706-14.

321 Humbert P, Pelletier F, Dreno B, Puzenat E, Aubin F. Gluten intolerance and skin diseases. Eur J Dermatol. 2006 Jan-Feb; 16(1): 4-11.

322 Tablazon IL, Al-Dabagh A, Davis SA, Feldman SR. Risk of cardiovascular disorders in psoriasis patients: current and future. Am J Clin Dermatol. 2013 Feb; 14(1): 1-7. doi: 10.1007/s40257-012-0005-5.

323 Dobson R, Giovannoni G. Autoimmune disease in people with multiple sclerosis and their relatives: a systematic review and meta-analysis. J Neurol. 2013 Jan 12.

324 Addolorato G, Parente A, de Lorenzi G, D'angelo Di Paola ME, Abenavoli L, Leggio L, Capristo E, De Simone C, Rotoli M, Rapaccini GL, Gasbarrini G. Rapid regression of psoriasis in a coeliac patient after gluten-free diet. A case report and review of the literature. Digestion. 2003; 68(1): 9-12.

325 Humbert P, Pelletier F, Dreno B, Puzenat E, Aubin F. Gluten intolerance and skin diseases. Eur J Dermatol. 2006 Jan-Feb; 16(1): 4-11.

326 Michaëlsson G, Ahs S, Hammarström I, Lundin IP, Hagforsen E. Gluten-free diet in psoriasis patients with antibodies to gliadin results in decreased expression of tissue transglutaminase and fewer Ki67+ cells in the dermis. Acta Derm Venereol. 2003; 83(6): 425-9.

327 Michaëlsson G, Gerdén B, Hagforsen E, Nilsson B, Pihl-Lundin I, Kraaz W, Hjelmquist G, Lööf L. Psoriasis patients with antibodies to gliadin can be improved by a gluten-free diet. Br J Dermatol. 2000 Jan; 142(1): 44-51.

328 Humbert P, Bidet A, Treffel P, et al. Intestinal permeability in patients with psoriasis. J Dermatol Sci 1991; 2: 324-6.

329 Hwang JS, Im CR, Im SH. Immune disorders and its correlation with gut microbiome. Immune Netw. 2012 Aug; 12(4): 129-38.

330 K. Wickens, P. Black, T. V. Stanley, E. Mitchell, C. Barthow, P. Fitzharris, G. Purdie, J. Crane. A protective effect of Lactobacillus rhamnosus HN001

against eczema in the first 2 years of life persists to age 4 years. Clinical & Experimental Allergy, 2012 (42) 1071–1079.

331 Iemoli E, Trabattoni D, Parisotto S, Borgonovo L, Toscano M, Rizzardini G, Clerici M, Ricci E, Fusi A, De Vecchi E, Piconi S, Drago L. Probiotics reduce gut microbial translocation and improve adult atopic dermatitis. J Clin Gastroenterol. 2012 Oct; 46 Suppl: S33-40.

332 Hodgson HJ, Davies RJ, Gent AE. Atopic disorders and adult coeliac disease. Lancet. 1976 Jan 17; 1(7951): 115-7.

333 Varjonen E, Savolainen J, Mattila L, Kalimo K. IgE-binding components of wheat, rye, barley and oats recognized by immunoblotting analysis with sera from adult atopic dermatitis patients. Clin Exp Allergy. 1994 May; 24(5): 481-9.

334 Dunstan JA, West C, McCarthy S, Metcalfe J, Meldrum S, Oddy WH, Tulic MK, D'Vaz N, Prescott SL. The relationship between maternal folate status in pregnancy, cord blood folate levels, and allergic outcomes in early childhood. Allergy. 2012 Jan; 67(1): 50-7.

335 Kiefte-de Jong JC, Timmermans S, Jaddoe VW, Hofman A, Tiemeier H, Steegers EA, de Jongste JC, Moll HA. High circulating folate and vitamin B-12 concentrations in women during pregnancy are associated with increased prevalence of atopic dermatitis in their offspring. J Nutr. 2012 Apr; 142(4): 731-8.

336 Husemoen LL, Toft U, Fenger M, Jørgensen T, Johansen N, Linneberg A. The association between atopy and factors influencing folate metabolism: is low folate status causally related to the development of atopy? Int J Epidemiol. 2006 Aug; 35(4): 954-61.

337 Shaheen MA, Attia EA, Louka ML, Bareedy N. Study of the role of serum folic acid in atopic dermatitis: a correlation with serum ige and disease severity. Indian J Dermatol. 2011 Nov; 56(6): 673-7.

338 Thuesen BH, Husemoen LL, Ovesen L, Jørgensen T, Fenger M, Gilderson G, Linneberg A. Atopy, asthma, and lung function in relation to folate and vitamin B(12) in adults. Allergy. 2010 Nov; 65(11): 1446-54.

339 Farres MN, Shahin RY, Melek NA, El-Kabarity RH, Arafa NA. Study of folate status among Egyptian asthmatics. Intern Med. 2011; 50(3): 205-11.

340 Marks J, Shuster S. Anaemia and skin disease. Postgrad Med J. 1970 Nov; 46(541): 659-63.

341 Lyakhovitsky A, Barzilai A, Heyman R, Baum S, Amichai B, Solomon M, Shpiro D, Trau H. Low-dose methotrexate treatment for moderate-to-severe atopic dermatitis in adults. J Eur Acad Dermatol Venereol. 2010 Jan; 24(1): 43-9.

342 Zoller L, Ramon M, Bergman R. Low dose methotrexate therapy is effective in late-onset atopic dermatitis and idiopathic eczema. Isr Med Assoc J. 2008 Jun; 10(6): 413-4.

343 McKay JA, Wong YK, Relton CL, Ford D, Mathers JC. Maternal folate supply and sex influence gene-specific DNA methylation in the fetal gut. Mol Nutr Food Res. 2011 Nov; 55(11): 1717-23.

344 Kinoshita M, Kayama H, Kusu T, Yamaguchi T, Kunisawa J, Kiyono H, Sakaguchi S, Takeda K. Dietary folic acid promotes survival of Foxp3+ regulatory T cells in the colon. J Immunol. 2012 Sep 15; 189(6): 2869-78.

345 Jones AP, Palmer D, Zhang G, Prescott SL. Cord blood 25-hydroxyvitamin D3 and allergic disease during infancy. Pediatrics. 2012 Nov; 130(5): e1128-35.

346 Peroni DG, Piacentini GL, Cametti E, Chinellato I, Boner AL. Correlation between serum 25-hydroxyvitamin D levels and severity of atopic dermatitis in children. Br J Dermatol. 2011 May; 164(5): 1078-82.

347 Akan A, Azkur D, Ginis T, Toyran M, Kaya A, Vezir E, Ozcan C, Ginis Z, Kocabas CN. Vitamin D Level in Children Is Correlated with Severity of Atopic Dermatitis but Only in Patients with Allergic Sensitizations. Pediatr Dermatol. 2013 Jan 7.

348 Mutgi K, Koo J. Update on the Role of Systemic Vitamin D in Atopic Dermatitis. Pediatr Dermatol. 2012 Sep 7.

349 Amestejani M, Salehi BS, Vasigh M, Sobhkhiz A, Karami M, Alinia H, Kamrava SK, Shamspour N, Ghalehbaghi B, Behzadi AH. Vitamin D supplementation in the treatment of atopic dermatitis: a clinical trial study. J Drugs Dermatol. 2012 Mar; 11(3): 327-30.

350 Eloranta JJ, Zaïr ZM, Hiller C, Häusler S, Stieger B, Kullak-Ublick GA. Vitamin D3 and its nuclear receptor increase the expression and activity of the human proton-coupled folate transporter. Mol Pharmacol. 2009 Nov; 76(5): 1062-71.

351 Tsoureli-Nikita E, Hercogova J, Lotti T, Menchini G. Evaluation of dietary intake of vitamin E in the treatment of atopic dermatitis: a study of the clinical course and evaluation of the immunoglobulin E serum levels. Int J Dermatol. 2002 Mar; 41(3): 146-50.

352 Lee S, Ahn K, Paik HY, Chung SJ. Serum immunoglobulin E (IgE) levels and dietary intake of Korean infants and young children with atopic dermatitis. Nutr Res Pract. 2012 Oct; 6(5): 429-35.

353 Javanbakht MH, Keshavarz SA, Djalali M, Siassi F, Eshraghian MR, Firooz A, Seirafi H, Ehsani AH, Chamari M, Mirshafiey A. Randomized controlled trial using vitamins E and D supplementation in atopic dermatitis. J Dermatolog Treat. 2011 Jun; 22(3): 144-50.

354 Shindo Y, Witt E, Han D, Epstein W, Packer L. Enzymic and non-enzymic antioxidants in epidermis and dermis of human skin. J Invest Dermatol. 1994; 102(1): 122-124

Troisième partie

1 Shigeta M, Saiki M, Tsuruta D, Ohata C, Ishii N, Ono F, Hamada T, Dainichi T, Furumura M, Zone JJ, Karpati S, Sitaru C, Hashimoto T. Two Japanese cases of dermatitis herpetiformis associated each with lung cancer and autoimmune pancreatitis but showing no intestinal symptom or circulating immunoglobulin A antibodies to any known antigens. J Dermatol. 2012 Dec; 39(12): 1002-5.

2 Real A, Comino I, de Lorenzo L, Merchán F, Gil-Humanes J, Giménez MJ, López-Casado MÁ; M Isabel Torres, Cebolla A, Sousa C, Barro F, Pistón F. Molecular and immunological characterization of gluten proteins isolated from oat cultivars that differ in toxicity for celiac disease. PLoS One. 2012; 7(12): e48365. doi: 10.1371/journal.pone.0048365.

3 Comino I, Real A, de Lorenzo L, Cornell H, López-Casado MÁ, Barro F, Lorite P, Torres MI, Cebolla A, Sousa C. Diversity in oat potential immunogenicity: basis for the selection of oat varieties with no toxicity in coeliac disease. Gut. 2011 Jul; 60(7): 915-22. doi: 10.1136/gut.2010.225268.

4 Victor F Zevallos, H Julia Ellis, Tanja Šuligoj, L Irene Herencia, Paul J Ciclitira. Variable activation of immune response by quinoa (Chenopodium quinoa Willd.) prolamins in celiac disease. Am J Clin Nutr 2012 ajcn.030684; First published online July 3, 2012.

5 Pelchat, ML. Rozin, P. The special role of nausea in the acquisition of food dislikes by humans. Appetite, 3, 341-351.

6 De Silva, P. Rachman, S. Human food aversions: nature and acquisition. Behavior, Research and Therapy, 25, 457-468.

7 Piqueras-Fiszman B. et al. Is it the plate or is it the food? Assessing the influence of the color (black or white) and shape of the plate on the perception of the food placed on it, Food Quality and Preference, Volume 24, Issue 1, April 2012, Pages 205-208.

8 Piqueras-Fiszman B. et al. Tasting spoons: Assessing how the material of a spoon affects the taste of the food, Food Quality and Preference, Volume 24, Issue 1, April 2012, Pages 24-29.

9 Meike Janssen, Ulrich Hamm. Product labelling in the market for organic food: Consumer preferences and willingness-to-pay for different organic certification logos, Food Quality and Preference, Volume 25, Issue 1, July 2012, Pages 9-22.

10 Rong Y, Chen L, Zhu T, Song Y, Yu M, Shan Z, et al. Egg consumption and risk of coronary heart disease and stroke: dose-response meta-analysis of prospective cohort studies. BMJ 2013; 346: e8539.

11 Erika Jensen-Jarolim, Leszek Gajdzik, Ines Haberl, Dietrich Kraft, Otto Scheiner, Jürg Graf. Hot Spices Influence Permeability of Human Intestinal Epithelial Monolayers J. Nutr. 1998 128: 3 577-581.

12 Tsukura Y, Mori M, Hirotani Y, Ikeda K, Amano F, Kato R, Ijiri Y, Tanaka K. Effects of capsaicin on cellular damage and monolayer permeability in human intestinal Caco-2 cells. Biol Pharm Bull. 2007 Oct; 30(10): 1982-6.

13 Dempe JS, Scheerle RK, Pfeiffer E, Metzler M. Metabolism and permeability of curcumin in cultured Caco-2 cells. Mol Nutr Food Res. 2012 Aug 29. doi: 10.1002/mnfr.201200113.

14 Song WB, Zhang ZS, Xiao B. Protective effect of curcumin against methotrexate-induced small intestinal damage in rats. Nan Fang Yi Ke Da Xue Xue Bao. 2008 Jan; 28(1): 119-21.

15 Helbig E, de Oliveira AC, Queiroz Kda S, Reis SM. Effect of soaking prior to cooking on the levels of phytate and tannin of the common bean (Phaseolus vulgaris, L.) and the protein value. J Nutr Sci Vitaminol (Tokyo). 2003 Apr; 49(2): 81-6.

16 Martínez-Manrique E, Jacinto-Hernández C, Garza-García R, Campos A, Moreno E, Bernal-Lugo I. Enzymatic changes in pectic polysaccharides related to the beneficial effect of soaking on bean cooking time. J Sci Food Agric. 2011 Oct; 91(13): 2394-8. doi: 10.1002/jsfa.4474.

17 Brewster DR, Manary MJ, Menzies IS, Henry RL, O'Loughlin EV. Comparison of milk and maize based diets in kwashiorkor. Arch Dis Child. 1997 Mar; 76(3): 242-8.

18 Patel B, Schutte R, Sporns P, Doyle J, Jewel L, Fedorak RN. Potato glycoalkaloids adversely affect intestinal permeability and aggravate inflammatory bowel disease. Inflamm Bowel Dis. 2002 Sep; 8(5): 340-6.

19 Kirpich IA, Feng W, Wang Y, Liu Y, Barker DF, Barve SS, McClain CJ. The type of dietary fat modulates intestinal tight junction integrity, gut permeability, and hepatic toll-like receptor expression in a mouse model of alcoholic liver disease. Alcohol Clin Exp Res. 2012 May; 36(5): 835-46. doi: 10.1111/j.1530-0277.2011.01673.x.

20 Raman KG, Sappington PL, Yang R, Levy RM, Prince JM, Liu S, Watkins SK, Schmidt AM, Billiar TR, Fink MP. The role of RAGE in the pathogenesis of intestinal barrier dysfunction after hemorrhagic shock. Am J Physiol Gastrointest Liver Physiol. 2006 Oct; 291(4): G556-65.

21 Stapel SO, Asero R, Ballmer-Weber BK, Knol EF, Strobel S, Vieths S, Kleine-Tebbe J; EAACI Task Force. Testing for IgG4 against foods is not recommended as a diagnostic tool: EAACI Task Force Report. Allergy. 2008 Jul; 63(7): 793-6. doi: 10.1111/j.1398-9995.2008.01705.x.

22 Hunter JO. Food elimination in IBS: the case for IgG testing remains doubtful. Gut. 2005 Aug; 54(8): 1203; author reply 1203.

23 Ehren J, Morón B, Martin E, Bethune MT, Gray GM, Khosla C. A food-grade enzyme preparation with modest gluten detoxification properties. PLoS One. 2009 Jul 21; 4(7): e6313. doi: 10.1371/journal.pone.0006313.

24 Cerf-Bensussan N, Matysiak-Budnik T, Cellier C, Heyman M. Oral proteases: a new approach to managing coeliac disease. Gut. 2007 Feb; 56(2): 157-60.

25 Kristjánsson G, Venge P, Hällgren R. Mucosal reactivity to cow's milk protein in coeliac disease. Clin Exp Immunol. 2007 Mar; 147(3): 449-55.

26 Lidén M, Kristjánsson G, Valtysdottir S, Venge P, Hällgren R. Cow's milk protein sensitivity assessed by the mucosal patch technique is related to irritable bowel syndrome in patients with primary Sjögren's syndrome. Clin Exp Allergy. 2008 Jun; 38(6): 929-35.

27 Peterlik M, Grant WB, Cross HS. Calcium, vitamin D and cancer. Anticancer Res. 2009 Sep; 29(9): 3687-98.

28 Kong J, Zhang Z, Musch MW, Ning G, Sun J, Hart J, Bissonnette M, Li YC. Novel role of the vitamin D receptor in maintaining the integrity of

the intestinal mucosal barrier. Am J Physiol Gastrointest Liver Physiol. 2008 Jan; 294(1): G208-16.

29 Chirayath MV, Gajdzik L, Hulla W, Graf J, Cross HS, Peterlik M. Vitamin D increases tight-junction conductance and paracellular Ca2+ transport in Caco-2 cell cultures. Am J Physiol. 1998 Feb; 274(2 Pt 1): G389-96.

30 Zhao H, Zhang H, Wu H, Li H, Liu L, Guo J, Li C, Shih DQ, Zhang X. Protective role of 1,25(OH)2 vitamin D3 in the mucosal injury and epithelial barrier disruption in DSS-induced acute colitis in mice. BMC Gastroenterol. 2012 May 30; 12: 57.

31 Vernay M. et al. Vitamin D status in the French adult population: the French Nutrition and Health Survey (ENNS, 2006-2007). Usen, invs, Avril 2012.

32 Drincic AT, Armas LA, Van Diest EE, Heaney RP. Volumetric dilution, rather than sequestration best explains the low vitamin D status of obesity. Obesity (Silver Spring). 2012 Jul; 20(7): 1444-8.

33 Vieth R. Vitamin D supplementation, 25-hydroxyvitamin D concentrations, and safety. Am J Clin Nutr. 1999 May; 69(5): 842-56.

34 Heaney RP. Vitamin D: criteria for safety and efficacy. Nutr Rev. 2008 Oct; 66(10 Suppl 2): S178-81.

35 Tavakkoli A, Digiacomo D, Green PH, Lebwohl B. Vitamin D Status and Concomitant Autoimmunity in Celiac Disease. J Clin Gastroenterol. 2013 Jan 16.

36 Holló A, Clemens Z, Kamondi A, Lakatos P, Szűcs A. Correction of vitamin D deficiency improves seizure control in epilepsy: a pilot study. Epilepsy Behav. 2012 May; 24(1): 131-3.

37 Moran JR, Lewis JC. The effects of severe zinc deficiency on intestinal permeability: an ultrastructural study. Pediatr Res. 1985 Sep; 19(9): 968-73.

38 Purohit V, Bode JC, Bode C, Brenner DA, Choudhry MA, Hamilton F, Kang YJ, Keshavarzian A, Rao R, Sartor RB, Swanson C, Turner JR. Alcohol, intestinal bacterial growth, intestinal permeability to endotoxin, and medical consequences: summary of a symposium. Alcohol. 2008 Aug; 42(5): 349-61.

39 Sturniolo GC, Di Leo V, Ferronato A, D'Odorico A, D'Incà R. Zinc supplementation tightens «leaky gut» in Crohn's disease. Inflamm Bowel Dis. 2001 May; 7(2): 94-8.

40 Sturniolo GC, Fries W, Mazzon E, Di Leo V, Barollo M, D'inca R. Effect of zinc supplementation on intestinal permeability in experimental colitis. J Lab Clin Med. 2002 May; 139(5): 311-5.

41 Tran CD, Howarth GS, Coyle P, Philcox JC, Rofe AM, Butler RN. Dietary supplementation with zinc and a growth factor extract derived from bovine cheese whey improves methotrexate-damaged rat intestine. Am J Clin Nutr. 2003 May; 77(5): 1296-303.

42 Rhie G, Shin MH, Seo JY, et al. Aging- and photoaging-dependent changes of enzymic and nonenzymic antioxidants in the epidermis and dermis of human skin in vivo. J Invest Dermatol. 2001; 117(5): 1212-1217.

43 Thiele JJ, Traber MG, Packer L. Depletion of human stratum corneum vitamin E: an early and sensitive in vivo marker of UV induced photo-oxidation. J Invest Dermatol. 1998; 110(5): 756-761.

44 Ikeda S, Toyoshima K, Yamashita K. Dietary sesame seeds elevate alpha- and gamma-tocotrienol concentrations in skin and adipose tissue of rats fed the tocotrienol-rich fraction extracted from palm oil. J Nutr. 2001; 131(11): 2892-2897.

45 Candow DG, Chilibeck PD, Burke DG, Davison KS, Smith-Palmer T. Effect of glutamine supplementation combined with resistance training in young adults. Eur J Appl Physiol. 2001 Dec; 86(2): 142-9.

46 Wilkinson SB, Kim PL, Armstrong D, Phillips SM. Addition of glutamine to essential amino acids and carbohydrate does not enhance anabolism in young human males following exercise. Appl Physiol Nutr Metab. 2006 Oct; 31(5): 518-29.

47 Li N, Lewis P, Samuelson D, Liboni K, Neu J. Glutamine regulates Caco-2 cell tight junction proteins. Am J Physiol Gastrointest Liver Physiol. 2004 Sep; 287(3): G726-33.

48 Miller AL. Therapeutic considerations of L-glutamine: a review of the literature. Altern Med Rev. 1999 Aug; 4(4): 239-48.

49 Stéphanie Beutheu, Ibtissem Ghouzali, Ludovic Galas, Pierre Déchelotte, Moïse Coëffier. Glutamine and arginine improve permeability and tight junction protein expression in methotrexate-treated Caco-2 cells, Clinical Nutrition, Available online 1 February 2013, ISSN 0261-5614, 10.1016/j.clnu.2013.01.014.

50 Colgrave ML, Goswami H, Howitt CA, Tanner GJ. What is in a Beer? Proteomic Characterization and Relative Quantification of Hordein (Gluten) in Beer. J Proteome Res. 2011 Nov 7.

51 Ioannidis JPA (2005) Why Most Published Research Findings Are False. PLoS Med 2(8): e124. doi: 10.1371/journal.pmed.0020124.

52 K. Ried, O.R. Frank, N.P. Stocks; Aged garlic extract lowers blood pressure in patients with treated but uncontrolled hypertension: A randomised controlled trial. Maturitas, volume 67, Issue 2, Pages 144-150.

53 Reinhart KM, Coleman CI, Teevan C, Vachhani P, White CM. Effects of garlic on blood pressure in patients with and without systolic hypertension: a meta-analysis. Ann Pharmacother. 2008 Dec; 42(12): 1766-71. doi: 10.1345/aph.1L319.

54 Zeng T, Guo FF, Zhang CL, Song FY, Zhao XL, Xie KQ. A meta-analysis of randomized, double-blind, placebo-controlled trials for the effects of garlic on serum lipid profiles. J Sci Food Agric. 2012 Jan 10.

55 Meri P. Nantz, Cheryl A. Rowe, Catherine E. Muller et al. Supplementation with aged garlic extract improves both NK and γδ-T cell function and reduces the severity of cold and flu symptoms: A randomized, double-blind, placebo-controlled nutrition intervention. Clinical Nutrition. 12 December 2011.Z

« 1 personne sur 5 est concernée par ce livre »
Thierry Souccar, auteur de *Lait, Mensonges et Propagande*

4 saisons SANS GLUTEN & SANS LAIT

101 recettes pour se régaler en famille

Christine Calvet

ÉDITIONS

À table !
SANS GLUTEN
& SANS LAIT
Mes recettes
à index
glycémique bas
Christine Calvet
THIERRY
SOUCCAR
ÉDITIONS